CYCLOPÉDIA

SHIMANO
ULTEGRA

CYCLOPÉDIA

105 VÉLOS D'EXCEPTION

MICHAEL EMBACHER
Photographies de BERNHARD ANGERER
Préface de PAUL SMITH
Introduction et textes
de MARTIN STRUBREITER et MICHAEL ZAPPE

SOMMAIRE

PRÉFACE

C'est à l'âge de onze que je suis passé du monde d'un jeune écolier vivant au domicile parental à celui de quelqu'un entamant une aventure dans l'univers du cyclisme qui n'a pas cessé depuis. Mes parents m'avaient offert pour mon anniversaire un vélo de course Paramount bleu pâle. Acheté à un des amis de mon père, il était d'occasion mais en parfait état. L'ami en question avait dit que, si je voulais rejoindre le club de cyclotourisme local, dont il était membre, et sillonner la campagne anglaise le dimanche, j'étais le bienvenu. C'est ce que je fis, découvrant ainsi brusquement la sensation de liberté que le cyclisme et la route peuvent vous apporter : le vent sur le visage, le bruit des pneus sur le goudron, et l'immense sentiment de satisfaction lorsque vous rentrez à la maison après plusieurs heures en selle.

Je rangeais d'ordinaire mon vélo dans ma chambre (à la désapprobation horrifiée de ma mère), mais il était toujours totalement immaculé ; même les jours pluvieux, je le nettoyais et le séchais dès mon retour. Puis je m'asseyais sur mon lit et j'admirais la couleur, la forme, la mécanique. En fait, tout ce qui a trait aux bicyclettes m'a toujours séduit.

À l'âge de douze ans, j'ai commencé à courir en benjamins pour finir plus tard en juniors. Mon meilleur classement sur une course a été sixième. Je n'ai jamais gagné quoi que ce soit et la compétition s'est arrêtée pour moi à l'âge de dix-sept ans après un vilain accident qui m'a valu plusieurs mois d'hôpital. Une fois la santé recouvrée, j'ai commencé à fréquenter avec mes nouveaux amis de l'hôpital le pub du coin qui, par chance, était le lieu de rencontre d'une foule d'étudiants créateurs – étudiants en mode, architecture, photographie, art, design, etc. – de l'École des beaux-arts voisine. Rencontrer ces étudiants a changé ma vie car c'est à ce moment que j'ai commencé à m'intéresser au design. Le reste, comme on dit, appartient à l'histoire, même si le cyclisme a continué pour moi à être un hobby et une passion.

C'est grâce à cette histoire que je peux m'identifier totalement à la passion de Michael Embacher. Quelle sélection ! Absolument fantastique ! Toutes les formes, toutes les tailles, toutes les qualités. L'extraordinaire Gazelle Champion Mondial, bien que produite à la fin des années 1970, avait l'apparence générale de mon premier vélo. J'adore l'ultramoderne et high-tech Schauff Wall Street, tout comme la Sablière avec ses tubes courbes et son cadre aluminium. Pour être franc, il vaut mieux regarder le livre car les mots seuls sont impuissants à décrire ces formidables cycles.

Paul Smith

paul smith 531

DE LA FASCINATION POUR LES BICYCLETTES

« Quand ton moral est bas, quand le jour te paraît sombre, quand le travail devient monotone, quand l'espoir n'y est pas, grimpe sur un vélo et roule sans penser à autre chose que le chemin que tu empruntes. »

Arthur Conan Doyle, *Scientific American Magazine*, 1896

Sans l'ombre d'un doute, la bicyclette est un objet personnel et sensuel dont nous gardons bien des souvenirs, à bien des niveaux. Vous vous souvenez probablement de votre première bicyclette, du moment où les stabilisateurs ont été enlevés et de votre pire chute. Pour beaucoup d'enfants, monter à bicyclette est la première opportunité pour étendre leur terrain de jeu, pour s'éloigner de leurs parents et vivre des aventures dans un monde plus vaste.

Un vélo est avant tout un moyen de s'amuser, et ce, quel que soit l'âge. Sentir le vent dans ses cheveux, voir ses efforts physiques engendrer un mouvement, échapper aux embouteillages ou traverser un lac gelé à bord d'un vélo sur glace[1] : voilà de quoi se sentir libre.

Notre humble bicyclette a le pouvoir de créer un immense plaisir attendu et de remplir de fierté des nations entières. Il suffit de penser à des courses telles que le Tour de France ou le Giro italien, sur lesquelles des milliers de fans se déplacent en pèlerinage et que des millions de spectateurs suivent en admiration sur le bord des routes ou devant leur écran.

La bicyclette a toutes sortes de partisans : spectateurs ou collectionneurs, amoureux du travail d'artiste, bricoleurs ou même constructeurs professionnels. En 2007, le *Zeit Magazin* (supplément du journal *Die Zeit*) publia une interview du P.-D.G. de Ferrari, Luca Cordero di Montezemolo. Interrogé sur le type de véhicule qu'il préférait conduire à ses moments perdus, il répondit : « Une bicyclette ».

Bien sûr, il est aussi possible de célébrer la bicyclette pour son impact positif sur l'environnement, reflet des préoccupations omniprésentes pour notre planète. Mue exclusivement par l'énergie humaine, la bicyclette est sans conteste le moyen de transport le plus efficace. Produit écologique exemplaire, elle ne nécessite pas d'emplacement de stationnement, ne produit pas de gaz d'échappement et ne provoque pas d'embouteillages. La bicyclette standard est de petite taille, est aisée à manœuvrer et représente donc la meilleure réponse aux difficultés de circulation en centre urbain. Parallèlement, elle répond à bien des exigences de santé de notre temps et facilite tous les programmes diététiques, que ce soit sur route ou en salle. C'est en raison de ses effets positifs sur la société et sur la vie quotidienne que je souhaite que la bicyclette devienne le moyen de transport dominant de nos villes.

Ma fascination pour la bicyclette tient à la simplicité de son concept – qui transforme efficacement l'énergie humaine en mobilité maximale – et aux répercussions en matière de design qui en découlent. Bien que l'idée d'un véhicule à deux roues fonctionnant à l'énergie humaine ait plus d'un siècle, la bicyclette demeure un produit d'une incroyable pertinence, au design sans cesse renouvelé et dont les principes de base continuent à résister à l'épreuve du temps.

La bicyclette est l'une des constructions les plus intransigeantes que je connaisse, artistiquement et structurellement. Elle nécessite une structure légère (puisque le conducteur doit déplacer son propre poids plus celui de la structure), un cadre stable (pour qu'elle ait un bon rendement) et une précision mécanique extrême (pour minimiser tous les frottements), à quoi s'ajoutent des prétentions esthétiques alliant grâce et élégance. Les concepteurs de cycles du monde entier ont une véritable passion pour leur art, consacrant tout leur temps à cette quête de la perfection.

Michael Embacher parmi la collection Embacher.

1 Capo Elite « Eis », page 108

2 One Off Moulton Special, page 100

3 Cinelli Laser, page 250

4 Garin, page 26

5 Inconnu, page 220

La présente sélection ne cherche pas à classer les bicyclettes en différentes catégories, ni à les présenter de façon chronologique. Elle offre plutôt un large éventail de ce que la bicyclette peut être et raconte les histoires attachées à chaque modèle. Les aspects ludiques, expérimentaux et innovants d'une bicyclette sont aussi importants que les coureurs qui l'ont montée ou que le rôle qu'ils ont joué dans l'histoire du cyclisme [2,3,4,5]. Toutes les bicyclettes présentées ici sont en accord avec les définitions communément acceptées. On y trouve des vélos de course aux détails parfaits, des bicyclettes pliantes dotées d'ingénieux mécanismes et des vélos de cyclotourisme conçus avec le plus grand soin pour de plus longs voyages. On trouve également des bicyclettes à l'apparence extraordinaire même si leurs performances sont très moyennes, des vélos de piste sans frein conçus pour battre des records de vitesse et des engins qui défient toute tentative de catégorisation. Toutes ces bicyclettes valent la peine d'être montées : j'ai personnellement testé chaque modèle, que ce soit en intérieur sur de courtes distances ou en extérieur pour de plus longues balades qui sont mon lot quotidien. Pouvoir profiter du côté ludique des bicyclettes tout en étudiant les différences entre elles représente pour moi un luxe incomparable.

Cet ouvrage vous invite à partager mon enthousiasme infini pour la bicyclette et peut faire naître en vous une passion personnelle. Si une seule des machines de ce livre suscite chez le lecteur un plus grand intérêt pour le vélo, ou si elle dévoile ne serait-ce qu'une parcelle du soin apporté par d'innombrables constructeurs, designers ou amateurs sur chaque petit détail de l'engin, peu importe le plaisir du cycliste (qu'il soit occasionnel ou héros de la route), le livre aura atteint son but.

Michael Embacher

BRÈVE HISTOIRE DU DESIGN DE BICYCLETTES

Il n'y a aucun consensus international sur l'identité de l'inventeur de la bicyclette et tout ce qui peut être prouvé, c'est que plusieurs versions furent élaborées, affinées et perfectionnées dans différents pays de façon simultanée.

On croit communément que l'artiste et inventeur italien Léonard de Vinci a conçu le premier modèle au xve siècle, mais les croquis qu'on lui avait attribués se sont avérés être des contrefaçons. Il a été également prouvé que le comte de Sivrac, autre inventeur putatif, n'a pas pu présenter un modèle à Paris en 1791.

À s'accorder sur un inventeur plausible, on nommera le baron Karl von Drais (1785-1851). En 1815, un volcan indonésien entra en éruption, modifiant le climat et affectant les récoltes jusqu'en Europe septentrionale. Une violente famine en résulta, obligeant les Européens à manger des chevaux – principal moyen de locomotion – pour survivre. Afin de résoudre ce problème de transport, le baron von Drais créa un « cheval dandy » à bord duquel le conducteur, en position assise, pouvait se propulser sans pédales. Son premier essai reconnu, en juin 1817, eut lieu à Mannheim, et fut rapidement suivi d'autres. Cependant, si le conducteur pouvait manœuvrer, il ne pouvait freiner, et la machine de Drais reçut en Allemagne un accueil mitigé. Le baron von Drais présenta son invention dans d'autres pays où elle eut un peu plus de succès mais, malgré cela, il mourut pauvre en 1851. Le premier monument qu'on lui édifia fut inauguré en 1893.

Au long du siècle dernier, le design en matière de cycles n'a cessé d'évoluer, mais toutes les versions successives n'ont été que des affinements de l'idée originale. Ce qui n'a pas empêché certaines d'entre elles de rencontrer un franc succès. Les innovations sont principalement venues de constructeurs qui sont eux-mêmes de fervents cyclistes, beaucoup plus que d'ingénieurs qui se rendent à leur travail en voiture ou d'« outsiders » désireux d'être à la pointe d'une industrie. Et si les innovations ont pu devenir proprement révolutionnaires, c'est grâce aux nouveaux matériaux et aux nouvelles technologies.

Pas un pied par terre : les pédales

Déplacer un véhicule en courant peut très bien fonctionner pour les Pierrafeu mais, loin du monde du dessin animé, les nouvelles idées étaient d'ordre plus pratique. Pierre Michaux (1813-1883) est considéré comme l'inventeur de la pédale, même si Philipp Moritz Fischer, un inventeur d'instruments de Schweinfurt en Bavière, eut à peu près la même idée à la même époque. Ces premières manivelles étaient directement connectées à la roue avant ; il n'y avait pas de chaîne, et si le guidon n'était pas fermement tenu, le pédalage entraînait d'inévitables zigzags.

Pierre Michaux exposa son vélocipède Michauline à l'Exposition universelle de 1867. Il eut un énorme succès. Ceux qui pouvaient s'offrir la Michauline venaient de découvrir un nouveau jouet, et les premières fabriques de vélocipèdes furent fondées.

Après le bois : l'acier et le caoutchouc

Les premiers vélocipèdes étaient lourds et faits de fonte et de bois, les roues n'avaient pour seuls « pneus » que des cercles de fer. C'est pourquoi au Royaume-Uni et aux États-Unis on les surnommait affectueusement des « brise-os », mais le progrès apporta vite ses améliorations. James Starley (1830-1881) de Coventry au Royaume-Uni s'orienta vers les aciéries et c'est

LABOR Spéciale Course

ainsi que se développèrent les cadres, jantes et rayons en acier – premiers pas vers des constructions plus légères.

Le confort vint avec l'industrie du caoutchouc. Elle fournit d'abord des roues pleines (lourdes mais increvables). C'est en 1888 que John Boyd Dunlop inventa le pneumatique (et avec lui la roue à plat dont nous souffrons encore de nos jours).

Grande roue (au moins devant)

Grâce aux nouveaux matériaux, les roues avant gagnèrent en taille de façon significative, ce qui augmenta la vitesse. En effet, un tour de manivelle impliquait un tour de roue et il n'était pas encore question de vitesses. Se déplacer de 20 à 25 km par heure devenait soudain possible. Les roues avant atteignirent jusqu'à 1,50 m de diamètre, tandis que les roues arrière devenaient de plus en plus petites, leur rôle se limitant à permettre l'équilibre de l'ensemble. Ainsi naquit le grand bi dans les années 1880.

Assise basse, mains hautes : le bicycle de sûreté

Le seul fait de monter sur le grand bi posait problème (l'image d'une échelle à grimper n'est pas fausse), mais il était encore plus difficile d'en descendre, surtout lorsqu'un événement inattendu se produisait sur le chemin. La plupart des gens qui montent des grands bis de nos jours, lors de compétitions ou d'exhibitions par exemple, ont au moins une fois atterri sur le capot d'une voiture, et l'équivalent devait certainement se produire au XIXe siècle. Tout obstacle devant la roue avant était l'occasion d'une chute, et les inventions ridicules du type guidon de sûreté (qui se détachait en cas de chute) n'arrangeaient pas vraiment l'affaire.

La situation ne s'améliora qu'avec l'invention de la chaîne. Peu à peu, la roue arrière devint motrice, la taille des deux roues s'harmonisa et le cycliste retrouva une position assise plus proche du sol. Ces évolutions sonnèrent le glas du grand bien 1895, tandis que le bicycle « bas » (ou bicycle de sûreté) entama son aventure vers le futur, d'abord comme équipement de sport et jouet de luxe.

Il lui restait cependant à gagner la confiance générale et cela se fit grâce aux succès sportifs ; sur les routes, il entrait en compétition avec le cheval. Les 29 et 30 juin 1893, le cheval fut défait lors de la course Vienne-Berlin, sur l'incroyable distance de 580 km. Joseph Fischer parcourut le trajet à bicycle en 31 heures, battant le record à cheval du comte Starhemberg, qui avait mis, une année plus tôt, 71 heures et 35 minutes. Aucune concurrence sérieuse de la voiture n'arriverait avant longtemps ; en 1900, une voiture Bollée mit 26 heures pour réaliser le parcours – guère mieux que le bicycle, même sur longues distances.

Des corsets aux culottes : les femmes en bicycle

À cette époque, seuls les hommes montaient à bicyclette. À la fin du XIXe siècle, les idées morales étaient assez simples, et le bicycle semblait très éloigné du rôle traditionnel de la femme. En 1891, un évêque compara l'idée d'une femme à bicyclette à celle d'une sorcière sur son balai, et des docteurs – qui n'étaient probablement jamais montés à bicyclette – déconseillèrent cette activité aux femmes pour « raisons de santé ». Toute femme désireuse de faire du vélo devait soit le faire déguisée en homme, soit opter pour un tricycle sur lequel on pouvait monter en robe.

Ce n'est que très progressivement que les femmes commencèrent à oser monter sur des grands bis ou des bicycles de sûreté, et le problème d'habillement ne fut pas si difficile à surmonter. Jupes-culottes, culottes bouffantes, compatibles avec le cyclisme et peu provocantes, offrirent une solution temporaire, même si les pantalons pour femmes n'étaient, et de loin, pas encore nés. Leur toute nouvelle liberté acquise, les audacieuses femmes cyclistes se débarrassèrent aussi de leurs corsets, et lentement un vent de liberté et d'émancipation commença à se lever.

Côtes et descentes : l'arrivée des vitesses

Le premier dérailleur – mécanisme servant à passer la chaîne d'un pignon sur un autre pour changer de vitesse – fut le « Gradient », conçu au Royaume-Uni aux alentours de 1895. Peu après apparut le moyeu à vitesses intégrées, dont celui produit par Sturmey-Archer qui tint durant des décennies le rang de trésor national britannique. De nos jours, cependant, un mécanisme allemand occupe ce créneau : le Rohloff Speedhub 500/14 à 14 vitesses[1].

Le dérailleur fut développé à partir de 1910, surtout en France. La concurrence entre les différents systèmes était intense et eut son lot d'absurdités[2]. Le premier mécanisme de changement de vitesses produit en masse vint pourtant d'Italie. Tullio Campagnolo avait beaucoup appris en observant les pionniers et, à partir de 1950, son mécanisme de vitesses « Gran Sport[3] » devint la référence bien que son prix fût très au-dessus de la moyenne. Après maints perfectionnements (l'aluminium remplaçant l'acier et d'innombrables changements jusqu'au plus infime détail), le modèle fut vendu sous le nom de « Nuovo Record[4] » jusqu'au milieu des années 1980.

Les premiers mécanismes de vitesses eurent, soit dit en passant, plus de succès au début auprès des cyclotouristes, les coureurs cyclistes les considérant comme une déviance de la pure puissance humaine[5]. Les mécanismes de vitesses ne furent pas autorisés sur le Tour de France avant 1937.

Une nouvelle façon de voyager : les bicyclettes de randonnée et leurs meilleurs constructeurs

Au début du XXe siècle, les courses cyclistes étaient un pur passe-temps, les bicyclettes y participant servant à autre chose au quotidien. Aller à vélo signifiait ne pas voyager sur des rails, et, contrairement aux chevaux, un vélo n'avait pas besoin d'avoine et ne salissait pas.

La plupart des cyclotouristes se rendaient en France, et c'est donc là que les premiers tests pratiques ont été réalisés. En 1901, les premiers freins furent testés dans les cols (avec des résultats désastreux étant donné la qualité des

W. & R. BAINES V.S 37

BOB JACKSON Super Legend

freins de l'époque). Les expérimentations des premiers mécanismes de changement de vitesses ont été menées dès 1913, et dans les années 1930, on était passé d'amateurs construisant des prototypes à une concurrence organisée entre constructeurs. Les meilleurs constructeurs de cadres s'efforçaient de construire les bicyclettes les plus légères, les plus robustes et les plus rapides.

Les meilleures bicyclettes de randonnée pesaient aux alentours de 7 kg. Elles avaient de 8 à 15 vitesses avec deux ou trois plateaux (leurs différences de taille anticipaient les pédaliers compacts modernes) et utilisaient de l'aluminium pour les freins, les manivelles, les phares, les garde-boue, le guidon, la potence et les pédales. Ces perfectionnements sont vite devenus la règle et les succès commerciaux internationaux ont suivi. Des constructeurs tels que Paul Charrel[6], Jo Routens et Lionel Brans sont devenus célèbres pour la qualité de leurs bicyclettes, René Herse et Alex Singer étant les plus connus d'entre eux. Herse et Singer produisirent non seulement de beaux cadres, mais aussi des bicyclettes complètes.

L'idée venue du froid : le levier de serrage rapide de Campagnolo

Avant les compétitions, l'histoire du changement de vitesse se résumait à des méthodes simples dont la plus basique était le moyeu réversible. Un second pignon plus grand était monté sur le moyeu arrière côté gauche et, au pied d'une ascension, il suffisait de retourner la roue arrière[5, 7].

Pour que cette manœuvre ne nécessite aucune clé, on inventa les écrous à oreilles ou écrous papillon. Ils fonctionnèrent parfaitement jusqu'au 11 novembre 1927, lorsque Tullio Campagnolo, alors engagé dans une course cycliste dans le Croce d'Aune, un col des Dolomites, se vit au sommet du col incapable de dévisser les écrous de ses doigts engourdis par le froid et la neige. La frustration de Campagnolo donna naissance à une nouvelle invention : il régla en effet le problème en 1930 en faisant breveter son système de levier à serrage rapide. Il créa son entreprise en 1933 et engagea ses premiers employés en 1940.

De drôles de cadres venus du Royaume-Uni

Les Britanniques – connus pour leur bizarrerie attachante – étonnamment n'ont jamais eu l'idée de monter chaîne et plateaux sur le côté gauche. Mais ils inventèrent des alternatives originales au cadre losange ou cadre en diamant (ou encore cadre homme par opposition au cadre ouvert, plus adapté aux vêtements féminins) dès les années 1930, chaque fabricant étant persuadé que dans son idée résidait le futur de la construction de cadres.

Hetchins, avec son cadre à haubans et tubes arrière tordus[8], ou Bates, avec sa fourche double courbe (fourche Diadrant) et ses tubes au diamètre épaissi en leur centre (tubes Cantiflex), ne s'écartaient pas énormément du cadre en diamant. D'autres, cependant, tels que Baines avec son Flying Gate[7], Waller avec le Kingsbury et Paris avec le Galibier, cherchaient à chambouler l'histoire de la bicyclette avec des formes radicalement nouvelles.

Ce chamboulement se fit d'abord sentir au niveau des prix. Nombre de ces cadres alternatifs avaient un coût de revient élevé et étaient donc incompatibles avec la production de masse, laissant la production à de petits constructeurs. L'effet se situait surtout au niveau de l'imagination, même si un puissant impact sur les résultats n'était pas exclu, compte tenu de l'étroite connexion jambes-cerveau en matière de cyclisme. Les concepts cherchaient le plus souvent à rendre le cadre plus léger et plus rigide. Pourtant, l'âge d'or de ces « étranges » cadres se situe après la Seconde Guerre mondiale, époque à laquelle beaucoup de petits constructeurs essayaient de se frayer un chemin dans le marché pour tirer bénéfice du boom de la bicyclette. Ils croyaient que ces cadres au design extravagant satisferaient la clientèle. En réalité les seuls cadres à perdurer furent ceux qui pouvaient être soudés avec un petit effort additionnel : le Bates et le Hetchins[8, 9].

La guerre et l'avènement de la voiture : les bicyclettes pliantes

La bicyclette avait lentement modifié sa position dans la société. Au tout début, elle était l'apanage des riches, mais lorsque la voiture fit son apparition, la noblesse y trouva un nouveau jouet. Les techniques de production de masse rendirent la bicyclette accessible à tout public. Les bicyclettes d'occasion devinrent peu à peu abordables, suivies même de modèles flambant neufs au même prix, et des ouvriers créèrent des clubs de sport. Bien longtemps après la Seconde Guerre mondiale, la bicyclette demeura ce que la voiture est aujourd'hui : le moyen de transport des masses.

Il est à noter que l'armée eut peu à faire avec la bicyclette[10], mais sa carrière ne fut pas sans impact sur le monde militaire. Dès la guerre franco-prussienne de 1870, elle fut employée pour le courrier postal, et plus tard certaines unités l'utilisèrent. C'est ce qui provoqua l'invention de la bicyclette pliante à la fin du XIXe siècle, et en 1910 le modèle allemand « Colibri » fut la première bicyclette pliante à utiliser des roues de 20 pouces. Elle était spécifiquement conçue pour des chasseurs ou des soldats, et ceux-ci, dès le pied à terre, transformaient le cycle en un tripode stable pour tirer.

Cependant, ce n'est pas avant l'ère de la société totalement motorisée des années 1960 que la bicyclette pliante devint réellement populaire[11, 12, 13, 14]. L'idée était de la ranger dans le coffre d'une voiture sans grande perte de place, prête à être utilisée, même si dans la réalité c'est plus oubliée dans les caves qu'elle s'est retrouvée. Parallèlement à cette première mode pour les bicyclettes pliantes, Alex Moulton, l'inventeur des suspensions de la Mini Austin, expérimenta au Royaume-Uni un nouveau modèle de bicyclette à

T&C Pocket Bici

LOTUS Sport 110

petites roues et à suspension complète[3, 15]. La mode pour les vélos pliants puisa donc son inspiration d'un vélo qui ne pouvait pas se plier (à l'exception du modèle Stowaway de Moulton).

La bicyclette avait atteint le point le plus bas de sa carrière, reléguée au rang de bouche-trou pour les moments où l'on n'était pas dans une voiture. La qualité et la beauté des modèles cyclotouristes avaient baissé et, naturellement, les chiffres de vente aussi. Seuls les modèles de course tiraient leur épingle du jeu – situation qui ne changera pas jusqu'à ce que, au début des années 1970, quelques excentriques adaptent la bicyclette à tous les terrains.

Refaites vos jeux : le VTT

Le vélo tout-terrain a été inventé par plusieurs individus à peu près au même moment, mais on en attribue généralement la paternité à Gary Fisher. Ambassadeur actif du VTT de nos jours encore, Fisher est toujours capable de donner sur des marathons du fil à retordre à de jeunes cyclistes.

Gary Fisher rencontra ses premiers succès en course sur route, mais en 1968 il fut écarté de l'American Cycling Association à cause de ses cheveux longs, et ne fut réadmis qu'en 1972. À partir de 1973, il commença à faire du tout-terrain avec ses amis (parmi eux Joe Breeze[16] et Charlie Kelly). Ils modifièrent des cadres Schwinn Cruiser des années 1930 en utilisant des matériaux particulièrement robustes. À cause de leur poids, il fallait apporter les vélos en camionnette jusqu'au mont Tamalpais en Californie, pour entamer la descente vers la vallée le long de sentiers de montagne. Une fois en bas, les freins à rétropédalage étaient si chauds que la graisse fondait, s'en échappait et qu'il fallait les remplir à nouveau. C'est ainsi que les courses de descentes trouvèrent leur nom : les repack races.

La forme suit la forme ou le triomphe du design

Le VTT sortit le progrès technique de sa léthargie longue de plusieurs décennies, mais ce progrès laissa aussi sa marque à travers un design inimitable, précurseur d'un futur plus extravagant, plus léger et plus beau.

C'est alors qu'apparurent les nouveaux matériaux des futurs cadres. L'aluminium[17], d'abord une branche parallèle dans l'histoire des cycles et sujet à torsion, devint, sous forme de tubes surdimensionnés, le pilier large, léger et rigide de tout cadre. Dans son ombre, le titane[15] fut l'objet de l'enthousiasme non corrosif le plus raffiné, avant d'être délogé par la fibre de carbone. Les cadres en fibre de carbone (corps creux qui pouvaient être moulés en n'importe quelle forme) furent mis à la disposition d'un large panel de designers, et le cadre monocoque[18, 19, 20] brisa le moule en diamant du design de cadres. Une variété de formes innovantes, jamais vues auparavant, inspira les designers du monde entier. Soudain, même les vélos pliants pouvaient être rigides, beaux et rapides. L'acier pouvait avec bonheur remplir un rôle qui lui avait à peine été accordé avant – alternative gracieuse pour les amoureux des cadres effilés, pour les adeptes des pattes ornées.

Nous arrivons ainsi au temps présent, et avec lui, au cœur même de ce livre.

Michael Zappe et Martin Strubreiter

VIALLE VÉLASTIC

QU'Y A-T-IL DANS UN NOM ?

TYPE DE VÉLO
VILLE, ORIGINAL

PAYS
FRANCE

DATE
1925

POIDS
17,3 KG

CADRE
ACIER VERNI, HAUTEUR AJUSTABLE

MOYEU
À PIGNON FIXE

FREINS
À TRINGLES

PNEUS
26 POUCES TRINGLE RIGIDE

Les idées qui ont pavé le chemin pour le Breezer Beamer (voir page 56) ont été introduites sur une bicyclette dès 1925. Les réclames disaient que le Vélastic des frères Vialle et leurs Établissements industriels des cycles élastiques de France rendaient le cyclisme aussi facile que s'asseoir sur un fauteuil. On supposait même qu'il était possible de descendre d'un trottoir sans sentir la marche du caniveau.

Même en écartant l'excès habituel des publicités, l'impression laissée par le Vélastic est celle du confort ; après tout, une partie considérable du cadre est formée d'un ressort à lames. Il n'y a pas de tube pour le siège, donc le cycliste s'assied au bout du ressort. Le reste du cadre est conçu pour résister à la force de torsion, ce qu'il réussit en partie.

Bien sûr, le siège peut aussi être ajusté en hauteur. Les cyclistes de grande taille ont juste à tirer le ressort du cadre, ils ont ainsi une suspension plus douce, alors que les personnes plus légères ont une suspension un peu plus ferme.

De nos jours, un fabricant proposerait sûrement des ressorts de différentes duretés pour prendre en compte la taille variable du cycliste. Le nom Vélastic est encore plus ingénieux que la bicyclette en soi, car il résume brillamment les attributs de la machine en un seul mot onomatopéique.

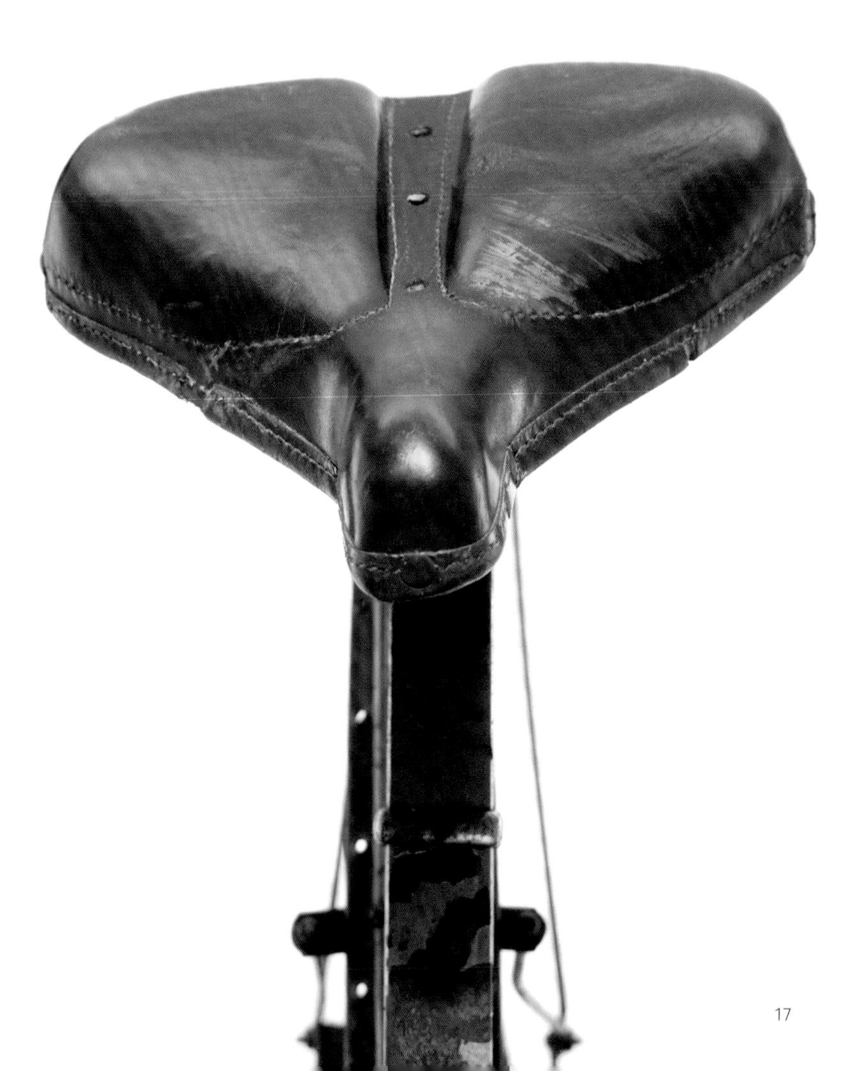

CYCLES HIRONDELLE Rétro-Direct

EN AVANT ET EN ARRIÈRE

TYPE DE VÉLO
CYCLOTOURISME, ORIGINAL

PAYS
FRANCE

DATE
VERS 1925

POIDS
18,7 KG

CADRE
ACIER VERNI 55,8 CM

DÉRAILLEUR
2 VITESSES

FREINS
À PATINS

PNEUS
28 POUCES TRINGLE RIGIDE

Pour quiconque souhaite une bonne transmission pour faire du vélo en montagne mais refuse de changer de vitesses, la Rétro-directe de la Manufacture française d'armes et cycles (ou Hirondelle) est le cycle idéal. Comme sur tout vélo, il est possible de pédaler en avant sur terrain plat mais, dans les côtes, il faut tourner les manivelles en arrière.

Ce qui ressemble au premier abord à un ruban de Möbius du point de vue mécanique est un mécanisme raffiné de redirection de la chaîne. Deux vitesses peuvent être sélectionnées mais avant que les cyclistes qui pensent que la promenade sera facile ne s'emballent, il faut savoir que le rétropédalage utilise des muscles différents. Les cyclistes auront peut-être à utiliser des muscles rarement sollicités, ce qui explique sans doute pourquoi le dérailleur a été privilégié dans l'évolution de la bicyclette.

Cependant, dans les années 1920, la Rétro-Directe présentait une alternative sérieuse aux quelques systèmes à vitesses alors sur le marché, comme certains précurseurs du futur. Après tout, la réputation d'Hirondelle était excellente et le système rétro-direct, qui avait été inclus dans le programme en 1903, était sur le marché depuis longtemps déjà.

En 2007, un Anglais parcourut les 1 200 km de la course Paris-Brest-Paris sur une ancienne Rétro-directe bien que les pédales soient tombées plusieurs fois en cours de route – défaut mineur dans la conception.

HERCULES 2000 HK
SUR LES PAS DE SON PÈRE

TYPE DE VÉLO
VILLE

PAYS
ALLEMAGNE

DATE
VERS 1958

POIDS
17,2 KG

CADRE
ALUMINIUM VERNI, 53,2 CM

DÉRAILLEUR
TORPEDO DUOMATIC 3 VITESSES INTÉGRÉES (ARRIÈRE)

FREINS
À PATINS ALTENBURGER (AVANT), RÉTROPÉDALAGE (ARRIÈRE)

PNEUS
26 POUCES TRINGLE RIGIDE

Si, vers la fin des années 1950, une bicyclette portait le chiffre 2000 dans son nom, alors elle aspirait probablement à être encore utilisée au tournant du millénaire. Le robuste Hercules 2000 HK possédait le traditionnel cadre croisé, marque distinctive de ces bicyclettes depuis 1889 (trois ans après que la compagnie a été fondée à Nuremberg en Allemagne).

Pourtant, la vraie innovation résidait dans le matériau du cadre. Coulé à partir de silumin, un alliage d'aluminiums, et le matériau le plus avancé à l'époque, le cadre était le résultat de sept années de recherche.

Conçu à l'origine par l'ingénieur HK, le vélo a été lancé au Salon du vélo de Francfort en 1950. Il fit sensation mais son développement ne démarra pas avant la reprise de la construction par Hercules en 1957. Peu après, il fut propulsé sur le marché en tant que « vélo du futur ».

Le modèle 2000 HK (le vélo ici présenté est numéroté 861099) fut conçu pour hommes, femmes et enfants. Les composés d'aluminium étaient en parfaite harmonie avec le cadre et un moyeu Torpedo 3 vitesses intégrées prenait en charge la vitesse et la décélération.

AFA
NOUVEAU TYPE DE SUSPENSION

TYPE DE VÉLO
CYCLOTOURISME, ORIGINAL

PAYS
FRANCE

DATE
1954

POIDS
13,2 KG

CADRE
ACIER VERNI, 56 CM

DÉRAILLEUR
HURET TOURISTE LÉGER (ARRIÈRE) 3 VITESSES

FREINS
À ÉTRIERS, TIRAGE CENTRAL, PYL

PNEUS
26 POUCES TRINGLE RIGIDE

Au début des années 1950, il n'y avait pas de routes lisses bitumées et peu de bons chemins. Il fallait donc créer un véhicule confortable dont l'élément clé serait la suspension.

L'entreprise française AFA testa des ressorts faits d'anneaux en fibre de verre soutenus par une potence avec suspension intégrée. La selle n'ayant pas de ressort et les branches du guidon pivotant vers le bas étant plutôt primitives, l'amortisseur le plus évident de cette bicyclette était le cycliste.

Néanmoins, c'est la clarté du concept général qui est à remarquer. D'élégants freins PYL poussent les leviers de freins contre les jantes, et les pédales aux lignes pures n'ont pas d'essieu.

CHARREL

L'ART DE VOYAGER RAPIDEMENT

TYPE DE VÉLO
CYCLOTOURISME

PAYS
FRANCE

DATE
VERS 1948

POIDS
12,7 KG

CADRE
ACIER VERNI, 60,7 CM

DÉRAILLEUR
2 × 5 VITESSES, CYCLO (AVANT), CHARREL (ARRIÈRE)

FREINS
À ÉTRIERS, TIRAGE CENTRAL, CHARREL

PNEUS
26 POUCES TRINGLE RIGIDE

En termes de qualité, la bicyclette de cyclotourisme Charrel est comparable une Herse ou une Singer, mais elle reste en retrait quant à la réputation et le nombre de vélos produits.

Paul Charrel avait une passion pour le cyclisme et ses modèles de bicyclettes d'un raffinement extrême reflétaient son expertise et son amour pour le sport plutôt que son désir de gloire. Il créa son entreprise en 1936 à Lyon lors d'une grande dépression économique et demeura relativement inconnu si on le compare à son proche voisin le fameux constructeur André Reiss.

Le modèle présenté ici (numéro 43) est un exemple classique : les tubes sont tous reliés par des manchons brasés « soudés » sans utiliser d'ergots (méthode la plus utilisée dans la fabrication de cadres vélos). Seule la fourche maintient la belle pointe du pivot de la fourche. Les tubes sont parcourus par des câbles Bourden, les haubans arrière sont entrelacés avec le tube de selle et le tube horizontal pour plus de stabilité, le pignon est attaché par brasage à l'aide de quatre petits tubes. De plus, les freins ingénieux, brevetés par Charrel en 1946, appuient les patins contre les jantes, et la distance entre les garde-boue et les pneus peut être finement rectifiée en bougeant les haubans. Les plus belles inventions naissent des plus modestes débuts.

MERCIER MECADURAL Pélissier
MODÈLE ULTRA-LÉGER

TYPE DE VÉLO
CYCLOTOURISME

PAYS
FRANCE

DATE
VERS 1950

POIDS
14,3 KG

CADRE
ALUMINIUM, 55,8 CM

DÉRAILLEUR
SIMPLEX 2 × 3 VITESSES

FREINS
À ÉTRIERS, TIRAGE CENTRAL, PYL

PNEUS
26 POUCES TRINGLE RIGIDE

Le Pélissier poids plume présenté ici (numéro 32793) allégeait le poids comme aucun autre, les seuls composants plus lourds que nécessaire étant les phares. Le Pélissier appartenait à la série de bicyclettes en aluminium Mercadural, fabriquées par Mercier après la Seconde Guerre mondiale.

Durant l'après-guerre, quand l'acier était réservé pour les produits indispensables, l'aluminium devint par défaut – en France surtout – le matériau léger, abordable et solide pour les cadres de bicyclettes.

Néanmoins, la mécanique du Pélissier a peut-être compromis son intégrité. Avec des tubes ancrés dans les raccords à travers de petits composants d'expansion, cette bicyclette n'était pas faite pour durer.

Cependant, d'autres composants ont mieux survécu, comme les garde-boue en aluminium (avec leur forme ondulée unique), les freins PYL et le timbre qui était actionné par la roue avant (comme une dynamo).

Francis Pélissier était le deuxième de trois frères, tous couronnés de succès dans le monde du cyclisme. Après une période prospère en tant que cycliste professionnel, il réussit à faire partie de l'équipe La Perle, dont le cycliste Hugo Koblet gagna le Tour de France en 1951.

SIMPLEX
SIMPLEX-MADE IN FRANCE

RENÉ HERSE
Diagonale
LA CRÈME DE LA CRÈME DU CYCLOTOURISME

TYPE DE VÉLO
CYCLOTOURISME

PAYS
FRANCE

DATE
1969

POIDS
12,3 KG

CADRE
ACIER VERNI, 56,3 CM

DÉRAILLEUR
HURET LUXE 2 × 5 VITESSES

FREINS
À ÉTRIERS, TIRAGE CENTRAL, WEINMANN 610 VAINQUEUR 999

PNEUS
28 POUCES TRINGLE RIGIDE

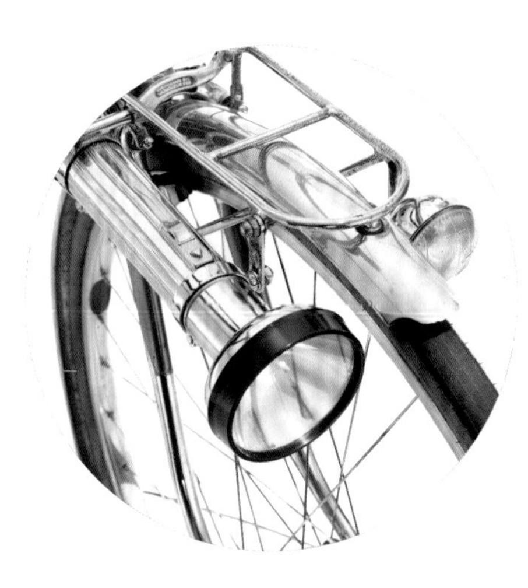

René Herse tenait un magasin spécialisé dans la banlieue de Levallois tout près d'Alex Singer, le fameux fabricant de bicyclettes et saint patron des constructeurs de cadres en France.

Chaque cadre Herse était une œuvre d'art dont quasiment chaque pièce était soudée par brasage. La qualité des composants et le savoir-faire mis en œuvre à la fabrication d'une Herse étaient parmi les meilleurs et se reflétaient dans les prix de vente astronomiques (deux à trois mois d'un salaire moyen). Néanmoins, pour les amateurs de Herse, aucun prix n'était trop élevé.

Le nom même de la Diagonale suggérait son véritable but – idéale pour du cyclotourisme dans les « diagonales ». Pour de nombreuses générations de cyclistes, relier deux points des six sommets de l'Hexagone fut un défi au long cours très populaire.

Le cadre René Herse présenté ici est le numéro 6955.

RENÉ HERSE Demontable

PARMI LES PREMIÈRES PLIANTES

TYPE DE VÉLO
CYCLOTOURISME, PLIANT

PAYS
FRANCE

DATE
1968

POIDS
11 KG

CADRE
ACIER VERNI, 58,9 CM

DÉRAILLEUR
HURET LUXE 2 × 5 VITESSES

FREINS
À ÉTRIERS, TIRAGE CENTRAL, WEINMANN 610 VAINQUEUR 999

PNEUS
28 POUCES TRINGLE RIGIDE

On admire les bicyclettes Herse pour leur perfection et leurs détails soignés. Le modèle Démontable présenté ici (numéro 6861) ne déroge pas à la règle. Il se voulait une bicyclette de luxe entièrement démontable, et donc totalement mobile.

Présenté complètement démonté dans la malle d'une voiture à l'exposition de cyclisme de Paris au début des années 1960, le Démontable était l'un des premiers modèles de vélos de ce type. Sa réputation s'accrut considérablement quand le docteur Clifford Graves aux États-Unis prit fait et cause pour lui. Grâce à sa promotion transatlantique, le Démontable se transporta de la banlieue de Levallois vers le reste du monde. Les Américains allaient pouvoir visiter l'Europe avec leur propre bicyclette.

La bicyclette Friday – New World Tourist (page 206) fut créée dans la même optique presque trente ans après.

WINORA Take-off

QUAND LE GRAND DEVIENT PETIT

TYPE DE VÉLO
PLIANT

PAYS
ALLEMAGNE

DATE
1989

POIDS
11,1 KG

CADRE
ACIER VERNI, 57 CM

DÉRAILLEUR
SACHS ARIS NEW SUCCESS 2 × 6 VITESSES

FREINS
À PATINS MODOLO

PNEUS
28 POUCES TRINGLE RIGIDE

Après la réunification de l'Allemagne en 1990, la compagnie Winora à Schweinfurt en Bavière s'ouvrit à de nouveaux marchés. Avec une stratégie de vente agressive et un regard aiguisé sur la concurrence, elle développa rapidement de nouveaux modèles de bicyclettes.

Conçu par Ernst Brust, le vélo de route Winora Take-off pouvait être démonté et transporté dans un étui prévu à cet effet. Guidon, roue avant et selle se démontent en utilisant des leviers à serrage rapide. Les pédales étaient alors détachées à l'aide d'une fixation à baïonnette et la roue arrière se détachait en ôtant l'axe, laissant les pignons et la chaîne attachés au cadre et le cycliste avec les mains propres. Les haubans devaient être séparés et la partie arrière du cadre se pliait vers l'avant. Le Take-off pouvait alors tenir dans son étui.

Le Winora Take-off présenté ci-contre (numéro 91) pèse un peu plus de 11 kg. Les pièces Sachs-Huret New Success ARIS (Advanced Rides Index System) représentaient une technologie de pointe en 1988. Un parallélogramme penché et deux pivots à ressort donnaient à ce modèle une apparence élégante unique, remarquée pour son style angulaire et le placement de ses vis d'ajustement.

Le modèle fut un succès raisonnable, même s'il n'est pas à la hauteur de l'attention prêtée par Shimano aux chaînes et aux pignons de la roue libre. Le modèle présenté ici est la version à dérailleur cage courte.

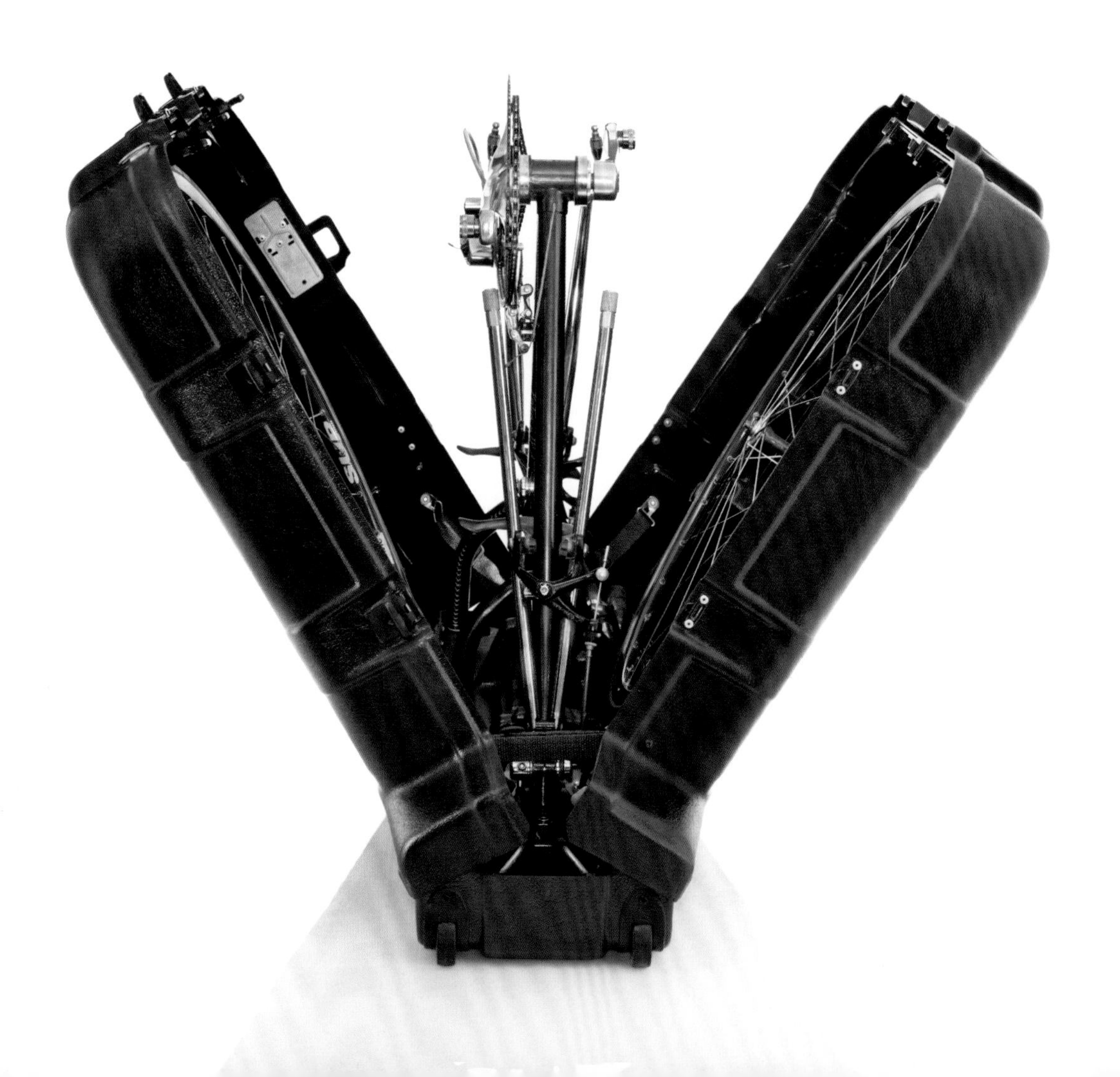

WINORA
Take off

DIAMANT
HANDY

DIAMANT
HANDY

SUBARU 2WD Dual Power

4x4

TYPE DE VÉLO
TOUT TERRAIN, ORIGINAL

PAYS
AUTRICHE/TAÏWAN

DATE
1996

POIDS
15,4 KG

CADRE
ACIER, ENDUIT LUSTRÉ, 48,2 CM

DÉRAILLEUR
SHIMANO STX 3 × 7 VITESSES

FREINS
CANTILEVER DIA COMPE

PNEUS
26 POUCES TRINGLE RIGIDE

Tout composant améliorant la traction d'une voiture peut être appliqué à un vélo – c'est ce que pensait Günter Kappacher quand il a commencé à assembler des VTT à la fin des années 1980. Il travaillait pour une fabrique de meubles et tenait également un atelier de cycles, et au fil des ans l'idée de ce bricoleur prit forme.

Kappacher créa une transmission intégrale adaptable à une bicyclette et, en 1993, la compagnie de tuning Oettinger transforma l'idée en réalité. Le sculpteur et coureur cycliste Paul Pollanka lança la production. Son tour de main résolut les derniers problèmes techniques et la production commença à Taïwan.

La roue avant était entraînée par une courroie dentée. Cette technologie de transmission intégrale fut brevetée et le nom Progear apparut sur les vélos. D'autres bicyclettes furent ajoutées au programme, et le temps que les projets se développent, pratiquement tous les VTT du marché disposèrent de fourche télescopique. Le prototype à suspension complète conçu par Paul Pollanka avec la fourche AMP de Horst Leitner fut mis en attente.

Il faut attendre le milieu des années 1990 pour que quelques fabricants de voitures voient l'intérêt d'élargir leur marché à celui du vélo (voir le BMW Super-Tech page 52). Il n'y avait meilleur partenaire pour Subaru que le Progear et, en 1996-1997, 180 VTT à transmission intégrale furent vendus à Subaru Allemagne. Le vélo présenté porte le numéro ZW30014 et il est aussi agréable à monter que l'équipe d'inventeurs de Subaru l'avait promis.

BREEZER Beamer

UNE SUSPENSION PAS COMME LES AUTRES

TYPE DE VÉLO
TOUT TERRAIN

PAYS
ÉTATS-UNIS

DATE
VERS 1992

POIDS
11,6 KG

CADRE
ACIER VERNI / FIBRE DE CARBONE, HAUTEUR AJUSTABLE

DÉRAILLEUR
SHIMANO DEORE XT 3 × 7 VITESSES

FREINS
CANTILEVER SHIMANO XTR

PNEUS
26 POUCES TRINGLE RIGIDE

Mike et Jim Allsop présentèrent la première bicyclette à selle souple en 1989 en Californie lors de l'Interbike International Trade Expo. Ils l'appelèrent Softride Suspension Systems, et cette idée inhabituelle, bien que pas entièrement originale (voir Vialle Vélastic, page 16), leur valut le premier prix. En 1991, le premier VTT basé sur ce concept fut créé.

Le légendaire designer de VTT Joe Breeze tenta d'adoucir le parcours pour ses VTT grâce à la suspension avant. La suspension connue sous le nom de Softride eut un franc succès. Le Beamer était le premier VTT à suspension complète à gagner le Downhill.

Le cadre situé sous les ressorts transversaux était en acier, et la bicyclette avait des ressorts en acier pour la fourche et l'arrière. On découvrit plus tard que cette construction convenait mieux à des bicyclettes de course. Le numéro du modèle ici présent est le H30020214, et de nouveaux modèles du Breezer Beamer sont encore en production de nos jours.

C-4
MOINS C'EST PLUS

TYPE DE VÉLO
TOUT TERRAIN

PAYS
ITALIE

DATE
VERS 1988

POIDS
10,5 KG

CADRE
FIBRE DE CARBONE VERNIE, 54 CM

DÉRAILLEUR
SHIMANO DEORE 3 × 8 VITESSES

FREINS
CANTILEVER SHIMANO XT

PNEUS
26 POUCES TRINGLE RIGIDE

La bicyclette C-4 réduisit son poids en supprimant un tube ; elle y a en outre gagné en suspension. Cette idée trouve son origine presque un siècle plus tôt lorsque la compagnie anglaise Coventry Machinist's expérimenta des cadres sans tube de selle sur ses bicyclettes de sécurité « Swift ». Le C-4 adopta le concept en 1985 et Colnago reprit l'idée en 1989 pour son VTT C35. Les matériaux utilisés pour le cadre du C-4 étaient cependant résolument tournés vers l'avenir, grâce à la monocoque en carbone NJC (No Joint Construction). Le cadre fournissait un système d'amortissement efficace à travers la fourche et un amortissement supplémentaire était placé au niveau de la potence.

SCHAUFF Wall Street

LE BUSINESS PAS COMME D'HABITUDE

TYPE DE VÉLO
VILLE

PAYS
ALLEMAGNE

DATE
1993

POIDS
11,6 KG

CADRE
FIBRE DE CARBONE VERNIE, 50 CM

DÉRAILLEUR
SHIMANO XTR 3 × 8 VITESSES

FREINS
CANTILEVER SHIMANO XTR

PNEUS
28 POUCES TRINGLE RIGIDE

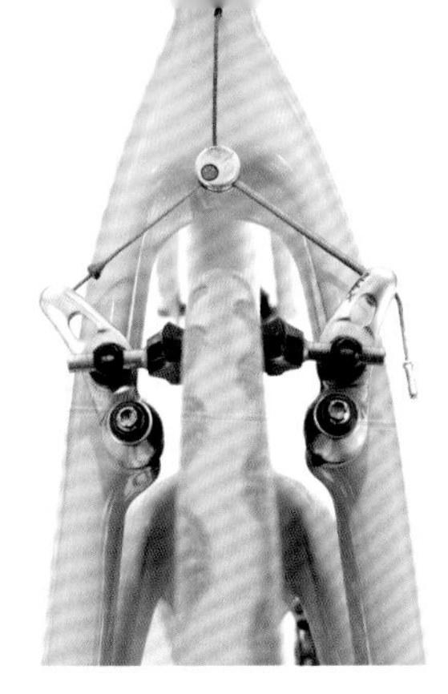

Le concept moderne du Schauff Wall Street s'oppose au côté vintage de son créateur. La fabrique de vélos Schauff fut fondée par Hans et Barbara Schauff en 1932 à Cologne, à quelques pas des Six Day Races. Schauff poursuivit son activité à Remagen-sur-le-Rhin en Allemagne après le déménagement forcé de ses locaux.

En 1991, Schauff commença à travailler sur le développement du design en arc, et la méthode de « soufflage-moulage » fut utilisée pour fabriquer de parfaits cadres de plastique renforcés de fibre de carbone. En 1992, le Schauff Wall Street remporta le premier prix du « Rote Punkt », concours de design qui devint par la suite le plus convoité.

Le Wall Street est une bicyclette de ville déguisée en VTT qui a ironiquement des pneus étroits empruntés à un vélo de course. Les détails exquis et les câbles internes attestent une réelle passion pour la précision, mais même si le tube s'occupe de la suspension, la selle semble un peu douloureuse. Seuls une vingtaine d'exemplaires de ce modèle ont été fabriqués.

SLINGSHOT
AVEC CÂBLE ET RESSORT

TYPE DE VÉLO
PLIANT, ORIGINAL

PAYS
ÉTATS-UNIS

DATE
VERS 1991

POIDS
11,9 KG

CADRE
ACIER VERNI, 47 CM

DÉRAILLEUR
SHIMANO XTR 3 × 7 VITESSES

FREINS
CANTILEVER SHIMANO XTR

PNEUS
26 POUCES TRINGLE RIGIDE

Le concept du Slingshot est le fruit d'un accident en 1985, lorsque Mark Groendal, originaire de Grand Rapids dans le Michigan, brisa le tube diagonal de sa mini-moto. Le résultat fut surprenant : un confort accru même si cela n'était pas durable. Il fallait trouver une solution permanente.

Lors de ses premiers brouillons de conception d'une bicyclette sans fourche télescopique ni ressort pour la partie arrière du cadre, Groendal continua de jouer avec cette idée, utilisant un vieux ski en guise de tube horizontal. Des variations ultérieures incluaient trois tubes horizontaux en acier et deux câbles au lieu du tube diagonal.

Il parvint finalement au meilleur modèle : un tube horizontal attaché à un pont en fibre de verre et un câble en acier avec ressort. Le degré de confort est déterminé au préalable par la tension qui peut être modifiée. Les composants du cadre, qui semblent normaux de l'extérieur, sont renforcés de l'intérieur pour certaines portions (afin d'éviter tout accident).

BIOMEGA MN01

SORTIR DU LOT

TYPE DE VÉLO
VILLE

PAYS
DANEMARK

DATE
VERS 2001

POIDS
11,9 KG

CADRE
ALUMINIUM VERNI, 44,5 CM

MOYEU
À VITESSES INTÉGRÉES (14) ROHLOFF SPEEDHUB (ARRIÈRE)

FREINS
À DISQUE MAGURA MARTA

PNEUS
26 POUCES TRINGLE RIGIDE

Le Biomega MN01 est la bicyclette de designer par excellence – il affiche le profil d'un sprinter dans les starting-blocks. Les créateurs Jens Martin Skibsted et Elias Grove Nielsen ont cherché à créer une bicyclette dynamique et peu conventionnelle et c'est à cet effet qu'ils ont contacté un collaborateur peu orthodoxe : le designer Marc Newson.

Combinaison des croquis de Skibsted imaginant un vélo de ville haut de gamme et de la vision résolument nouvelle de Newson, le Biomega MN01 possède un cadre peu commun en superplastique d'aluminium formé à partir de deux semi-monocoques (ce qui rend l'utilisation assez bruyante, le cadre agissant comme amplificateur). Le moyeu à vitesses Rohloff s'éloigne également de la tradition avec 14 vitesses intégrées et ne demande aucun entretien. En revanche, le MN01 est aussi cher et lourd qu'un VTT de milieu de gamme, confirmant ainsi qu'il est un produit de designer tant en prix qu'en apparence.

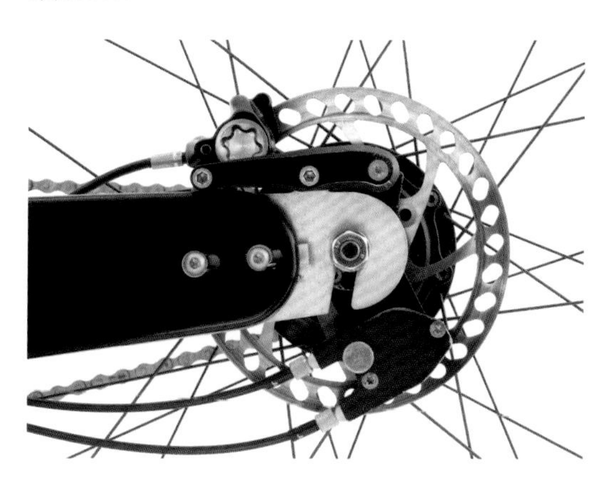

BIRIA Unplugged TM-Design

LE TALENT A SON PRIX

TYPE DE VÉLO
VILLE, ORIGINAL

PAYS
ALLEMAGNE

DATE
VERS 1998

POIDS
12,2 KG

CADRE
FIBRE DE CARBONE, ENDUIT LUSTRÉ, 50 CM

DÉRAILLEUR
SACHS QUARZ 3 × 8 VITESSES

FREINS
À DISQUE SACHS POWER DISC

PNEUS
26 POUCES TRINGLE RIGIDE

Avec le Biria Unplugged TM-Design VTT, la beauté était dans la boue. Bien que le corps de la bicyclette fût époustouflant, sa performance laissait à désirer.

Tout était fabriqué en carbone et à un coût exorbitant. Les roues, par exemple, étaient montées sur un seul côté du moyeu, mais grâce à la forme du cadre et aux rayons, les forces étaient parfaitement alignées. On ferma les yeux sur la mauvaise suspension et le coût de production prohibitif, et environ 27 bicyclettes furent créées. Plus de la moitié ont été assemblées pour former des vélos complets, le reste fut mis aux enchères en pièces détachées.

L'obstacle au succès était le prix, entre 14 000 et 22 000 DM, à l'époque où d'autres VTT coûtaient entre 3 000 et 7 000 DM. Même les revêtements en or 24 carats sur la chaîne du plus beau modèle ne faisaient pas la différence (et ne pouvaient cacher que partiellement que le cadre était particulièrement faible en danseuse).

designed by

Unplugged by BIRIA
designed by TM design

CINETICA Giotto
UN TRÉSOR POUR COLLECTIONNEUR

TYPE DE VÉLO
COURSE

PAYS
ITALIE

DATE
1990

POIDS
9,8 KG

CADRE
FIBRE DE CARBONE VERNIE, 57,6 CM

DÉRAILLEUR
CAMPAGNOLO 2 × 8 VITESSES

FREINS
À ÉTRIERS, TIRAGE CENTRAL, CAMPAGNOLO C RECORD DELTA

PNEUS
TUBULAIRES 27 POUCES

Le cadre monocoque en carbone de la bicyclette Cinetica Giotto paraissait être léger, mais fabriqué comme il l'était, ce n'était pas le cas. Suite aux premiers prototypes fabriqués à partir de deux semi-monocoques reliées, le cadre monocoque fut finalement réalisé et put faire valoir ses qualités.

Le cadre Giotto pesait environ 500 g de moins que le meilleur cadre d'acier de l'époque, et son impressionnante force de torsion dépassait tous les concepts de constructions légères des années 1980. Seul l'axe de pédalier tournait autour de l'axe longitudinal de façon imperceptible pour le cycliste. La suspension était un réel plaisir, car l'absence de tube de selle rendait le vélo incroyablement confortable.

Le créateur du Cinetica Giotto est Andrea Cinelli, fils du légendaire Cino Cinelli (voir le Cinelli Laser, page 250), aidé de l'équipe de scientifiques de l'université de Milan. Le Cinetica Giotto brillait même par des particularités uniques comme un compteur intégré dans la selle pour fournir les données de course. Avec des plans initiaux prometteurs pour une production haut de gamme, le Giotto paraissait avoir un avenir radieux. Cependant, il fut finalement condamné par le problème le plus banal qui soit : les moules pour les cadres se sont brisés après la fabrication d'une cinquantaine de cadres seulement. Les modèles complets sont maintenant convoités par les collectionneurs, seule une poignée étant connue ; le modèle ci-contre est le numéro 1010.

KESTREL 200 SCi

CHANGER DE VITESSE AVEC L'ÉLECTRICITÉ

TYPE DE VÉLO
COURSE

PAYS
ÉTATS-UNIS

DATE
VERS 1993

POIDS
9,7 KG

CADRE
FIBRE DE CARBONE VERNIE, 56 CM

DÉRAILLEUR
MAVIC ZAP 2 × 8 VITESSES

FREINS
À PATINS MAVIC

PNEUS
TUBULAIRES 27 POUCES

« C'est le design qui a changé l'orientation du cyclisme moderne », a écrit un Américain dans un article sur le Kestrel. Cette bicyclette était visionnaire. Elle offrait de passionnantes innovations en matière de construction de bicyclettes (les monocoques en carbone par exemple ; voir Bianchi C-4 page 256, Cinetica Giotto page 74 et Lotus Sport 110 page 72) ainsi qu'une modernisation des techniques de construction traditionnelles (les raccords en aluminium du Colnago Carbitubo Pista page 84 par exemple). Mais le design du Kestrel l'identifiait à un marché plus jeune.

Il avait le ZMS (Zap Mavic System) qui contrôlait les vitesses électriquement, ce qui constituait le premier dérailleur arrière piloté par microprocesseur. Le Zap a été expérimenté par les équipes Once et RMO sur le Tour de France.

L'idée était osée et l'utilisation de l'électronique ambitieuse. Si la théorie impliquait seulement d'appuyer sur un bouton pour changer de vitesse, en pratique ce n'était pas si simple ! Même le système sans fil Mektronic, le successeur de la version de 1999, n'était pas sans problèmes.

Ce n'est que maintenant que les dérailleurs électriques sont en passe d'être redécouverts, cette fois-ci par les constructeurs Campagnolo et Shimano. Le modèle présenté ici est le numéro 59003.

INBIKE/TEXTIMA

D'EST EN OUEST

TYPE DE VÉLO
COURSE, À PIGNON FIXE

PAYS
ALLEMAGNE/RDA

DATE
VERS 1990

POIDS
8,7 KG

CADRE
ACIER VERNI, 56,8 CM

MOYEU
À PIGNON FIXE

PNEUS
TUBULAIRES 27 POUCES

Ce vélo de contre-la-montre a ses racines en Allemagne de l'Est, mais il n'a été construit qu'après la réunification. Dans un département spécialisé de l'entreprise Textima (qui construisait des machines textiles), on produisit aussi des vélos pour l'élite du cyclisme. La précision et la qualité de ces fabrications firent fureur dans les compétitions internationales.

Après la réunification, l'héritage de Textima fut habilement géré par Christoph Hähle qui poursuivit son activité sous le nom d'Inbike. Les bicyclettes Textima se distinguaient par leurs plaques de renforcement. Les guidons en carbone provenant de la firme italienne 3ttt, développés par Paolo Martin, concepteur en chef pour Pininfarina, se mariaient parfaitement à la machine. Pendant la deuxième moitié des années 1980, on trouvait ces guidons sur presque tous les vélos de CLM.

Les pièces du Dura-Ace-10, avec leur subtile réduction en taille, sont aussi à noter. Au lieu d'un 1/2 pouce, le pas de la chaîne mesure 10 mm, ce qui réduit le plateau, par exemple, de 21 %. Il est aussi plus léger de 38 % – poids qui n'a pas besoin d'être propulsé au sprint. Cependant, ces innovations ont été négligées, peut-être parce qu'on considérait que changer les normes des chaînes était trop complexe.

Le numéro du modèle présenté est le 112062.

PEKA Peka
À TOUTE ALLURE

TYPE DE VÉLO
COURSE, À PIGNON FIXE

PAYS
PAYS-BAS

DATE
VERS 1985

POIDS
11 KG

CADRE
ACIER VERNI, 59,1 CM

MOYEU
À PIGNON FIXE

PNEUS
TUBULAIRES, 24 POUCES (AVANT), 27 POUCES (ARRIÈRE)

Le dernier championnat du monde de demi-fond eut lieu en 1994. La disparition de ce championnat est surprenante, étant donné l'enthousiasme qui fit de cette discipline la plus populaire du début du xxᵉ siècle. De nos jours, les courses de demi-fond ont été particulièrement oubliées.

Les vélos qui ont excellé dans les courses à lièvre ont été développés spécifiquement pour suivre le sillage de la lourde moto à l'avant. Cela signifiait qu'une bicyclette Peka (faite par Peter Serier du magasin de vélos Peperkamp à Amsterdam) pouvait atteindre des vitesses allant jusqu'à 100 km/h. L'ambitieux Peka fonctionnait à merveille, et le plateau avant 66 dents contribuait aussi à expliquer la vitesse de pointe. Le développement rend tout démarrage à l'arrêt impossible, de l'aide est donc nécessaire. Une fois lancé, le suiveur ne doit jamais quitter le sillage et, à cause de la roue avant de 24 pouces et de la fourche courbée, il peut être très proche du lièvre (la fourche offre également une meilleure stabilité). Si le cycliste s'approche trop, un galet arrière monté sur la moto empêche une chute.

Cependant la stabilité du vélo était aisément affectée si un courant d'air d'une autre motocyclette attrapait la roue avant pleine (innovation coûteuse et ambitieuse à l'époque). Malheureusement, ces turbulences dangereuses ne purent être évitées qu'en retournant à des roues à rayons.

Il va sans dire que le cycliste inhalait des vapeurs de gaz d'échappement, même si cela n'a pas toujours été le cas. Dans le passé, les suiveurs roulaient derrière des bicyclettes multi-selles et, plus tard, derrière des motocyclettes électriques tandem.

Le modèle présenté ici est le 0222E38BDR59.

COLNAGO Carbitubo Pista

LES DÉBUTS DE L'ÈRE DU CARBONE

TYPE DE VÉLO
COURSE, À PIGNON FIXE

PAYS
ITALIE

DATE
VERS 1990

POIDS
8,2 KG

CADRE
FIBRE DE CARBONE, ENDUIT LUSTRÉ / MANCHONS EN ALUMINIUM, 56,7 CM

MOYEU
À PIGNON FIXE

PNEUS
TUBULAIRES, 26 POUCES (AVANT), 27 POUCES (ARRIÈRE)

Durant les premières années d'utilisation du carbone comme matériau pour cadres, il était réputé cher et pas forcément facile à travailler.

Le cadre monocoque appartenait toujours au monde lointain de 1975 lorsque le premier cadre en carbone (mélangé à de l'aluminium) fut construit aux États-Unis. Cependant, Colnago se risqua à concevoir un futur pour le carbone. Le modèle Colnago Carbitubo Pista fut présenté à l'IFMA (Internationale Fahrrad und Motorrad-Ausstellung) de 1988. Ses tubes en carbone proviennent de la Ferrari, digne fournisseur pour un vélo dont l'unique critère est la vitesse. Ils sont soudés les uns aux autres grâce à des raccords en aluminium et pouvaient, comme on peut s'y attendre, se détacher à la jointure lorsque soumis à une forte pression. Néanmoins, d'un point de vue purement esthétique, les deux tubes diagonaux fuselés sont magnifiques. Moins de 20 modèles ont été produits.

Structurellement, les raccords en aluminium du Carbitubo Pista sont virtuellement identiques à ceux utilisés par le fabricant réputé Alan, qui produisait également les cadres en tubes de carbone et les raccords en aluminium.

À ce jour, Colnago est probablement la marque de bicyclettes la plus renommée et un livre répertoriant toutes les victoires remportées sur une Colnago nécessiterait sûrement plusieurs volumes.

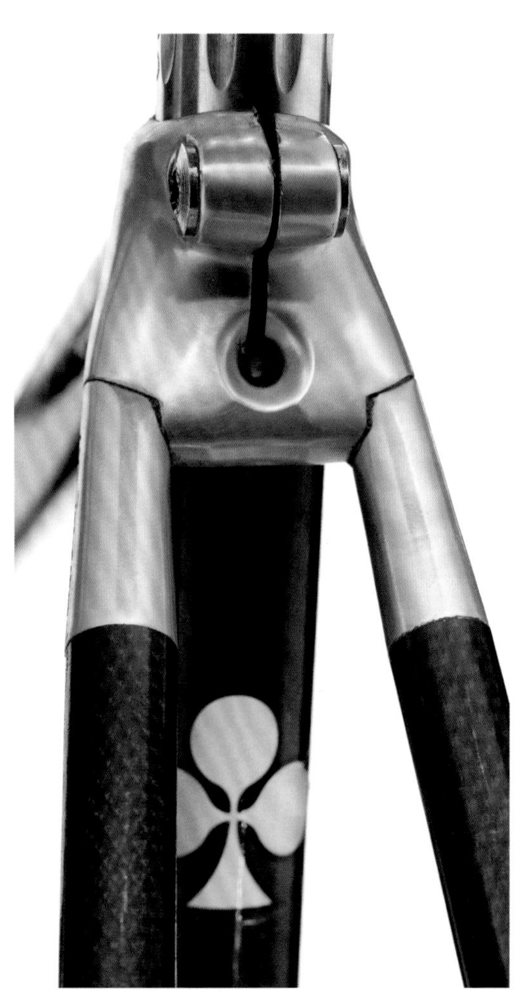

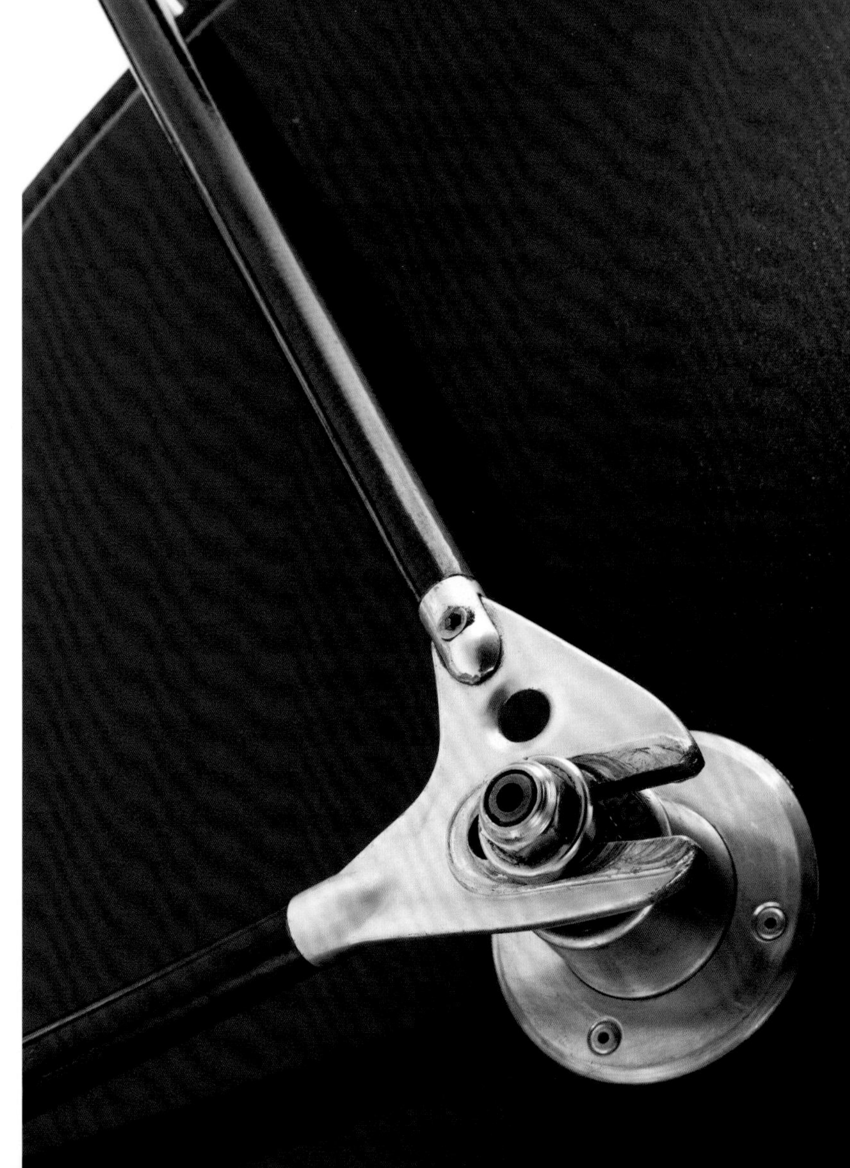

COLNAGO

SABLIÈRE

UNE BEAUTÉ TOUT EN COURBES

TYPE DE VÉLO
COURSE

PAYS
FRANCE

DATE
VERS 1978

POIDS
8,5 KG

CADRE
ALUMINIUM POLI, 59 CM

DÉRAILLEUR
MAVIC 862 (AVANT), MAVIC 851 (ARRIÈRE) 2 × 7 VITESSES

FREINS
À ÉTRIERS, TIRAGE CENTRAL, CAMPAGNOLO RECORD DELTA

PNEUS
TUBULAIRES 27 POUCES

Le cadre en aluminium non peint de la bicyclette Sablière parade avec ses tubes gracieux et élégants aux soudures parfaites. Les courbes sensuelles du guidon apportent la touche finale à cette séduisante bicyclette et évoquent les lignes caractéristiques des avions.

Avec des machines comme celle-ci, la course se joue contre la montre plutôt que contre les adversaires. La seule chose susceptible de perturber la trajectoire rectiligne de la Sablière est un vent latéral à travers la roue arrière. Pour l'éviter et maintenir une bonne stabilité en roulant, il y a des masselottes dans la roue arrière ; au fur et à mesure que la roue prend de la vitesse, les poids centrifuges exercent une force vers l'extérieur, assurant ainsi une course stable.

Depuis les années 1930, les cadres en aluminium ont été fabriqués en France par Nicolas Barra et Pierre Colin. C'est seulement depuis quelques années que l'aluminium a fait sa percée dans le marché mondial comme matériau communément utilisé pour la fabrication de cadres.

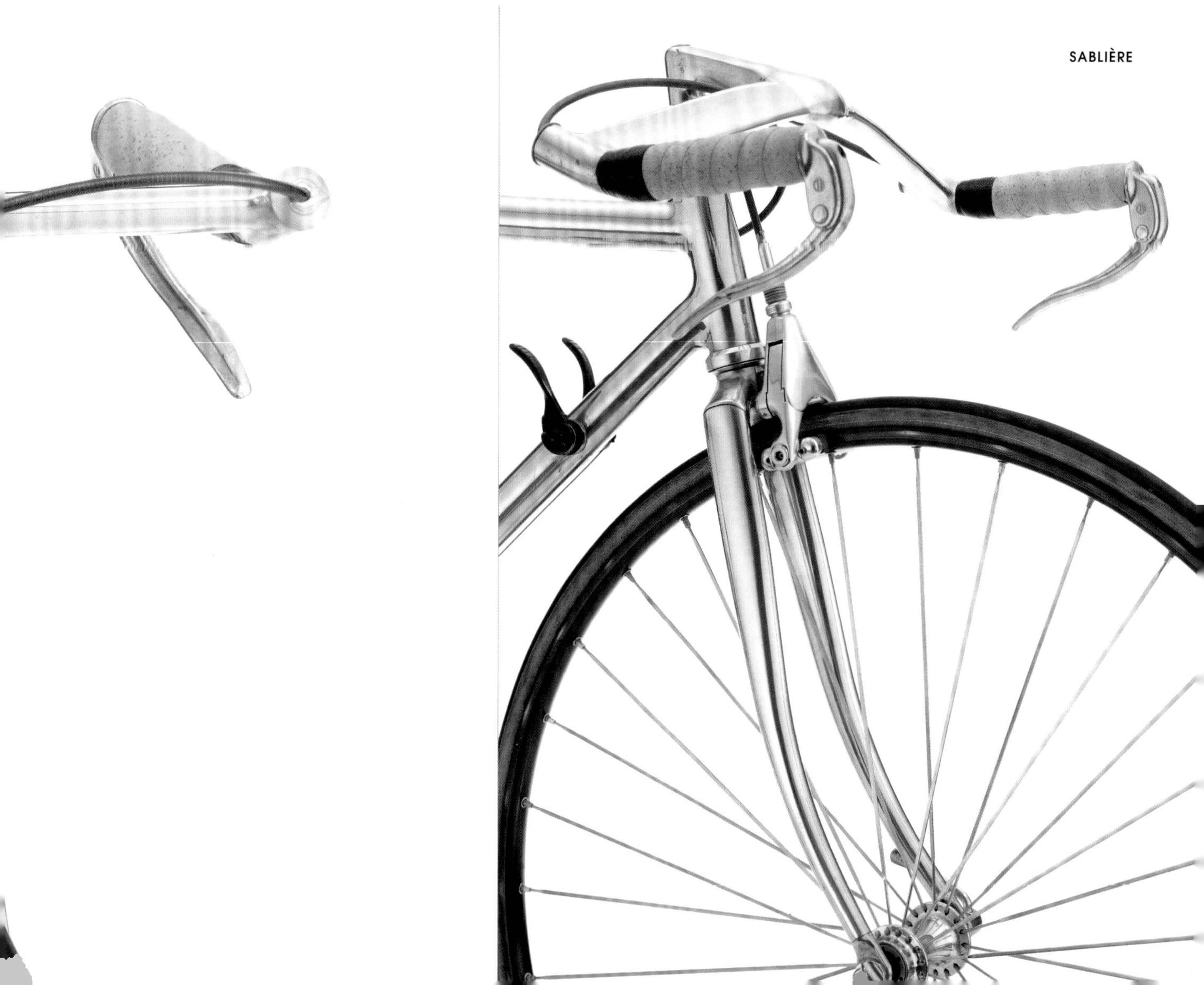

MECACYCLE Turbo Bonanza

PAS UN SIMPLE VÉLO À TUBE DE SELLE DOUBLE

TYPE DE VÉLO
COURSE, ORIGINAL

PAYS
FRANCE

DATE
VERS 1985

POIDS
11 KG

CADRE
ACIER VERNI, 58 CM

DÉRAILLEUR
HURET 2 × 7 VITESSES

FREINS
À ÉTRIERS, TIRAGE CENTRAL WEINMANN DELTA

PNEUS
TUBULAIRES 26 POUCES (AVANT), 27 POUCES (ARRIÈRE)

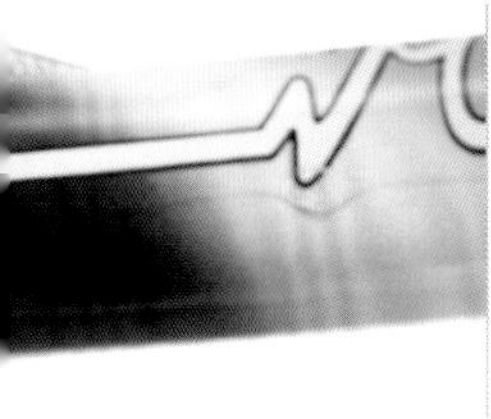

Raymond Creuset était connu pour sa créativité avant même d'avoir fondé Mecacycle. Il avait travaillé comme mécanicien spécialisé pour Mercier puis pour un groupe de réflexion se spécialisant dans la résolution de problèmes techniques complexes, avant de se tourner vers l'industrie du cyclisme au début des années 1980. Creuset acheta Mecacycle, une entreprise plutôt infructueuse de Saint-Étienne, la capitale française du cyclisme, et la compagnie fit bientôt fureur avec son nouveau modèle. Le cadre « turbo » offrait un tube de selle double (voir aussi le Rigi Bici Corta page 174) et captiva l'intérêt du public à l'IFMA de 1982 à Cologne.

Le Bonanza était un exemple des « turbos » de Mecacycle. Il fut nommé d'après un marchand de vélos suisse qui vendait des cadres Mecacycle et fournissait un groupe particulier de professionnels.

La maniabilité était parfaite et bien équilibrée même si l'empattement était écourté par le tube de selle double et la taille de la roue avant (plus de 65 cm).

DIAMANT Ironman SLX

PARTIR DU BON PIED

TYPE DE VÉLO
COURSE, ORIGINAL

PAYS
BELGIQUE

DATE
1992

POIDS
10,2 KG

CADRE
ACIER VERNI, 56,5 CM

DÉRAILLEUR
SHIMANO DURA-ACE 2 × 8 VITESSES

FREINS
À PATINS SHIMANO DURA-ACE

PNEUS
28 POUCES TRINGLE RIGIDE

Diamant est un nom plein de charisme, et plusieurs entreprises de bicyclettes l'ont adopté comme modèle. Le fabricant du Diamant Ironman SLX est originaire de Belgique.

Lancé au début des années 1990, ce modèle incliné vers l'avant était conçu pour des triathlètes et semblait constamment rouler par vent arrière.

Grâce à sa géométrie spécifique, la selle du Diamant Ironman SLX n'a pas besoin d'être penchée vers l'avant. Quiconque ne connaîtrait pas le cyclisme serait pardonné de le prendre pour une caricature d'un vélo de triathlon, avec ses angles de cadre raides, sa tige de selle et son guidon étranges. L'Ironman semble déformer ces caractéristiques de manière presque grotesque.

Cependant, il est possible que le designer se soit inspiré d'un dessin animé des années 1940 montrant une bicyclette similaire lors du Tour de France. La bicyclette du caricaturiste est certainement exagérée pour plus d'effet, mais elle ressemble tout de même à cette très sérieuse machine aux hautes performances.

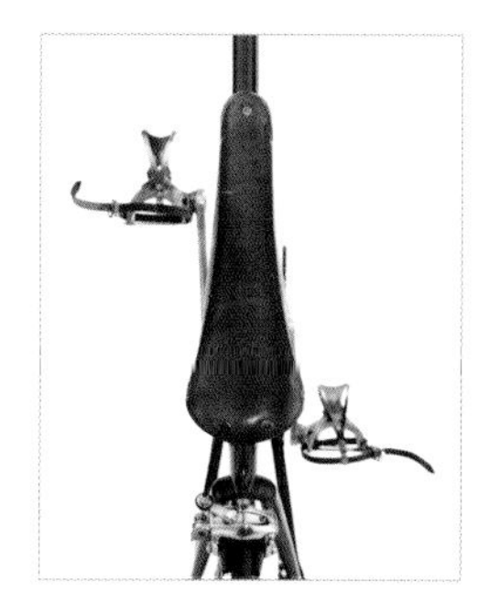

BOB JACKSON
Tricycle
LE TRICYCLE DES GRANDS

TYPE DE VÉLO
COURSE, ORIGINAL

PAYS
ROYAUME-UNI

DATE
1995

CADRE
ACIER VERNI, 55 CM

DÉRAILLEUR
SHIMANO DURA-ACE 2 × 7 VITESSES

FREINS
À ÉTRIERS, TIRAGE CENTRAL WEINMANN (AVANT),
CANTILEVER SHIMANO (AVANT)

PNEUS
TUBULAIRES, 27 POUCES (AVANT), 2 × 27 POUCES (ARRIÈRE)

Pour ceux qui pensaient que les raccords élaborés du modèle haut de gamme de Hetchins, le Magnum Opus, n'attiraient pas assez les regards, une troisième roue pouvait être ajoutée pour faire un tricycle utilisable en toute situation, courses de compétition incluses.

Les tricycles ne sont pas si stables qu'ils en ont l'air, ils sont prompts à dévier complètement sans avertissement avec des cyclistes inexpérimentés. Cependant ils restent populaires, et les tricycles Bob Jackson sont encore disponibles à la vente, plus exclusifs et de meilleure qualité que jamais. Les tricycles sont majoritairement basés sur les bicyclettes traditionnelles fabriquées par Hetchins, la marque qui fusionna avec Bob Jackson en 1986. Leurs raccords sont exquis, et certaines pièces sont encore fabriquées à la main sur commande du client. Un seul exemplaire de ce modèle à raccord personnalisé a été fabriqué (modèle ci-contre). Le tricycle présenté ici porte le numéro 21999. (Voir Bob Jackson Super Legend, page 96.)

ONE OFF Moulton Special

UNE PIÈCE DE TITANE UNIQUE

TYPE DE VÉLO
COURSE, ORIGINAL

PAYS
ÉTATS-UNIS/ROYAUME-UNI

DATE
1991

POIDS
9,6 KG

CADRE
TITANIUM, 56,8 CM

DÉRAILLEUR
MAVIC 862 2 × 7 VITESSES

FREINS
À PATINS SCOTT SUPER BRAKE

PNEUS
17 POUCES TRINGLE RIGIDE

La compagnie de Mike Augspurger One Off à Florence, dans le Massachusetts, est spécialisée dans la production de pièces uniques, faites sur mesure. Cela n'inclut pas seulement des vélos mais aussi des fauteuils roulants par exemple. Le dénominateur commun de ces produits est le matériau : One Off préfère le titane, considéré comme le plus prometteur pour les vélos haut de gamme du futur.

En 1991, Mike Augspurger fit la connaissance d'Alex Moulton. Leur amitié fut renforcée par leurs voyages à vélo et une nouvelle idée pour One Off fut développée. Augspurger voulait produire un Moulton AM en titane avec un cadre indissociable et son ami soutint le projet et fournit des pièces Moulton spéciales.

Quelques mois plus tard, le nouveau cadre montait sur la balance. Il pesait 500 g de moins qu'un Moulton AM Speed en acier inoxydable, même si, comme lui, il ne pouvait être dissocié.

Puis le projet fut arrêté. Ce n'est que le deuxième propriétaire de One Off qui compléta le cadre et la fourche, et rendit le vélo utilisable. Le profilage Zzipper apporte plus d'aérodynamisme et le cadre du vélo est aussi rigide que son cousin en acier inoxydable. Un seul exemplaire fut produit : celui qui est présenté ici.

Par la suite, Alex Moulton n'accepta plus aucune expérience de ce type.

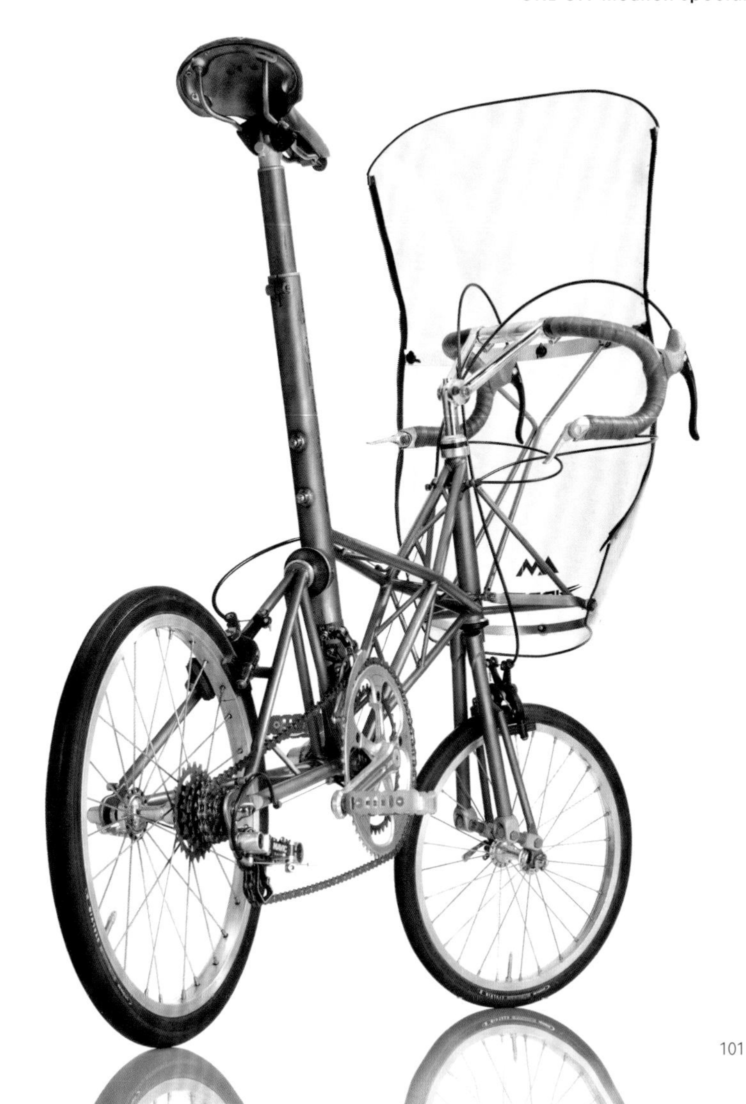

ALEX MOULTON
Speedsix
RECORD MONDIAL POUR LE PETIT HOMME

TYPE DE VÉLO
COURSE, CYCLOTOURISME

PAYS
ROYAUME-UNI

DATE
1965

POIDS
13,3 KG

CADRE
ACIER VERNI, 50 CM

DÉRAILLEUR
CAMPAGNOLO GRAN SPORT (ARRIÈRE) 6 VITESSES

FREINS
À PATINS WEINMANN TYPE 730

PNEUS
17 POUCES TRINGLE RIGIDE

En théorie, le Moulton Speedsix ne devait pas être disponible en blanc. En septembre 1967, le cycliste britannique Vic Nicholson établit le record Cardiff-Londres avec une Moulton « S » Speed. La route Cardiff-Londres ayant été raccourcie par la construction du pont sur la Severn en 1966, il existe en fait deux records. Le record de John Woodburn, établi en 1962, n'a pu être battu car le parcours a changé.

Les tentatives de record de ce type ont naturellement influencé une série de modèles et sont certainement la raison pour laquelle le propriétaire a changé la couleur de la peinture du Speedsix en blanc – en hommage à la « S » Speed.

À la fin des années 1960, le système de changement de six vitesses était un phénomène atypique, ce qui rendait le Moulton Speedsix deux fois plus exotique. C'était une technologie d'avant-garde, bien que son style fût très contemporain.

Les exemplaires Moulton de la première année de production étaient peu attractifs pour la clientèle commune, mais la production de petites séries haut de gamme dans les années 1980 améliora leur réputation. La bicyclette présentée ici est l'une des 600 assemblées, elle porte le numéro K65310046.

SØLLING Pedersen

ATEMPOREL DEPUIS PLUS D'UN SIÈCLE

TYPE DE VÉLO
VILLE

PAYS
DANEMARK

DATE
1978

POIDS
11,9 KG

CADRE
ACIER VERNI, HAUTEUR MOYENNE

DÉRAILLEUR
TORPEDO DUOMATIC (ARRIÈRE) 3 VITESSES INTÉGRÉES

FREINS
À PATINS ALTENBURGER SYNCHRON (AVANT),
RÉTROPÉDALAGE (ARRIÈRE)

PNEUS
28 POUCES TRINGLE RIGIDE

Le Danois Mikael Pedersen (1855-1929) était un forgeron et un musicien doué d'un esprit inventif. Il inventa une variété éclectique de mécanismes, dont une batteuse, un système d'embrayage pour moulins à chevaux et un système de freinage pour attelage. Plus intéressant encore, il repensa la bicyclette, se concentrant sur la création d'un cadre à la taille universelle. L'idée maîtresse était celle d'une selle flexible suspendue sur un câble d'acier gainé de plastique. Lorsque le cycliste s'asseyait, le vélo gagnait en stabilité grâce à la charge variable exercée sur les tubes fins et légers du cadre. L'idée originale de Pedersen date des années 1890 et le vélo fut construit pour la première fois à Dursley en Angleterre avant 1940. Il retrouva une deuxième vie au Danemark en 1978, avec des prototypes tels que le Sølling Pedersen qui est encore en production de nos jours.

CAPO Elite « Eis »

UN ÉTRANGE HYBRIDE

TYPE DE VÉLO
À PIGNON FIXE, ORIGINAL

PAYS
AUTRICHE

DATE
VERS 1966

POIDS
11 KG

CADRE
ACIER VERNI, 56,5 CM

MOYEU
À PIGNON FIXE

PNEUS
26 POUCES TRINGLE RIGIDE

Croisement heureux entre un patin à glace et une bicyclette, le Capo Elite « Eis » est une création extraordinaire. Sa roue arrière était pourvue de pointes de métal afin de fournir une force de propulsion, et un patin à l'avant assurait un meilleur pilotage, idées conçues pour garantir une conduite parfaite et réduire les risques de dérapage. Le seul danger était qu'en cas d'accident, le cycliste n'avait plus qu'à espérer que les pointes de la roue arrière l'épargneraient.

Même en Autriche, où l'« Eis » était fabriqué, la bicyclette de glace n'était que peu distribuée. Le vélo présenté ici est en fait un modèle unique puisqu'il a été « customisé » par son propriétaire précédent. Son fabricant, Capo, était renommé pour une autre de ses bicyclettes, la « Computer Bike », pour laquelle un ordinateur était capable de calculer la géométrie idéale du cadre. Capo fut fondé en 1930 par deux cyclistes professionnels, Otto et Walter Cap – ce dernier ayant été champion d'Autriche en 1920.

WORLDSCAPE CO. LTD
Aitelen Chainless
TROIS FOIS CHANCEUX

TYPE DE VÉLO
VILLE, ORIGINAL

PAYS
TAÏWAN

DATE
VERS 1992

POIDS
15,8 KG

CADRE
ACIER VERNI, 50,6 CM

MOYEU
SACHS PENTASPORT 5 VITESSES INTÉGRÉES (ARRIÈRE)

FREINS
À TIRAGE LINÉAIRE (V-BRAKE) SHIMANO DEORE LX

PNEUS
28 POUCES TRINGLE RIGIDE

Il y a plus d'un siècle, le Français Gaston Rivière remporta le Bordeaux-Paris trois fois de suite (1896, 1897, 1898) sur un vélo sans chaîne à transmission par cardan. Peu après 1900, la France voit apparaître le premier moyeu à vitesses intégrées et à peu près au même moment, aux États-Unis, les vélos à cardan étaient combinés à un moyeu à 2 ou 3 vitesses.

Le concept a ensuite été délaissé durant de nombreuses années avant d'être renouvelé par le vélo sans chaîne Aitelen.

Mais l'efficacité demeurant un problème, la traditionnelle bicyclette à chaîne n'a pas à s'en faire pour son avenir. La transmission par cardan de cet Aitelen est l'une de ses caractéristiques exemplaires ; fait avec une très grande précision, il est agréable à utiliser (tout comme son Torpedo, le fameux moyeu à 5 vitesses). Malheureusement, le cadre soudé sans raccord selon la méthode traditionnelle n'est pas à la hauteur. Le vélo ci-contre est le numéro TC97A00047.

ALENAX TRB 250
LA QUADRATURE DU CERCLE

TYPE DE VÉLO
VILLE, ORIGINAL

PAYS
TAÏWAN

DATE
VERS 1988

POIDS
18 KG

CADRE
ACIER VERNI, 49 CM

CHAÎNE
AJUSTABLE

FREINS
À PATINS DIA COMPE

PNEUS
27 POUCES TRINGLE RIGIDE

Les idées pour remplacer le mouvement circulaire des pédales par un autre mécanisme sont nombreuses dans l'histoire du cyclisme. Dès 1880, le Grand Bi Star travaillait sur le même principe (avec une petite roue à l'avant réduisant le risque de chute par-dessus le guidon). En 1893, l'entreprise suédoise Svea dévoila un concept similaire, tout comme Terrot en France avec sa Levocyclette en 1900. La bicyclette couchée Jaray des années 1920 avançait grâce à un levier d'entraînement, il n'était donc pas nécessaire de pédaler.

Le TRB Alenax 250 prolonge cette tradition de mouvement alternatif avec ses barres transversales entraînant une chaîne, qui tourne sur des pignons, de sorte que le coureur peut être en roue libre s'il le souhaite. Ces pignons sont montés de chaque côté du moyeu de la roue arrière. Même si le système offre plusieurs vitesses, elles ne sont pas vraiment utilisables en raison des points morts clairement perceptibles pendant la rotation de la manivelle : des défauts désagréables qui ne purent être atténués par les manivelles PMP (voir page 184) ou Colrout (voir page 180).

RALEIGH
Tourist
CYCLE BRILLANT ET HEUREUX

RALEIGH TOURIST (HOMME)

TYPE DE VÉLO
VILLE

PAYS
ROYAUME-UNI

DATE
VERS 1970

POIDS
20,9 KG

CADRE
ACIER CHROMÉ, 57,3 CM

MOYEU
3 VITESSES INTÉGRÉES TORPEDO (ARRIÈRE)

FREINS
À TRINGLES

PNEUS
28 POUCES TRINGLE RIGIDE (635)

RALEIGH TOURIST (FEMME)

TYPE DE VÉLO
VILLE

PAYS
ROYAUME-UNI

DATE
VERS 1970

POIDS
19,8 KG

CADRE
ACIER CHROMÉ, 56,2 CM

MOYEU
3 VITESSES INTÉGRÉES STURMEY ARCHER (ARRIÈRE)

FREINS
À TRINGLES

PNEUS
28 POUCES TRINGLE RIGIDE (635)

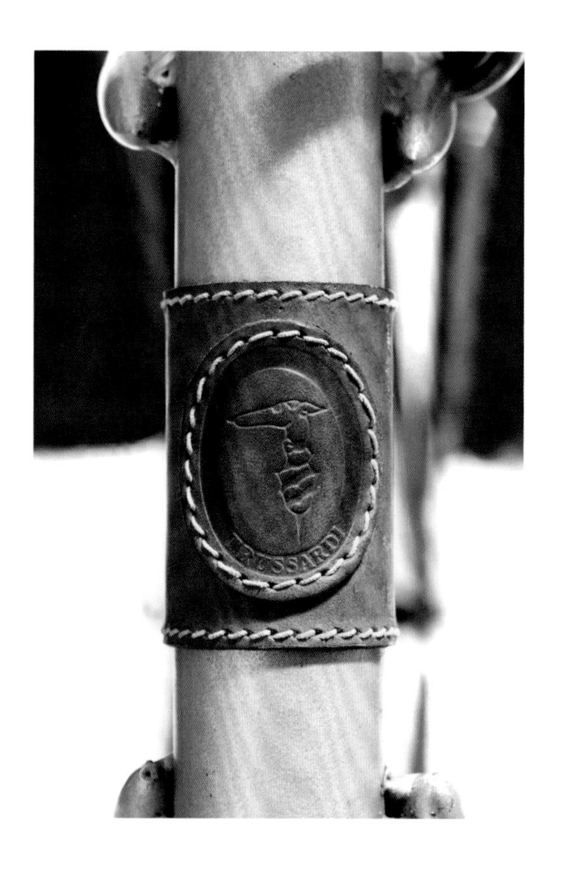

UMBERTO DEI
Giubileo
À L'ANCIENNE

STYLE DE VÉLO
VILLE

PAYS
ITALIE

DATE
1996

POIDS
18,2 KG

CADRE
ACIER VERNI, 57 CM

MOYEU
3 VITESSES INTÉGRÉES TORPEDO (ARRIÈRE)

FREINS
À PATINS URSUSS SUPER LUXE

PNEUS
28 POUCES TRINGLE RIGIDE

Umberto Dei, qui fait partie du monde cycliste depuis 1896, est riche d'expérience. L'entreprise fêta son centenaire avec le lancement d'une bicyclette de ville haut de gamme, la Giubileo. Faite main, elle avait d'exquis accessoires en cuir : poignées, selle, cache-roue arrière, et même de petites sacoches de selle. La bicyclette pour femmes avait également un grand panier à l'avant. Le modèle présenté ici est le numéro 16275C.

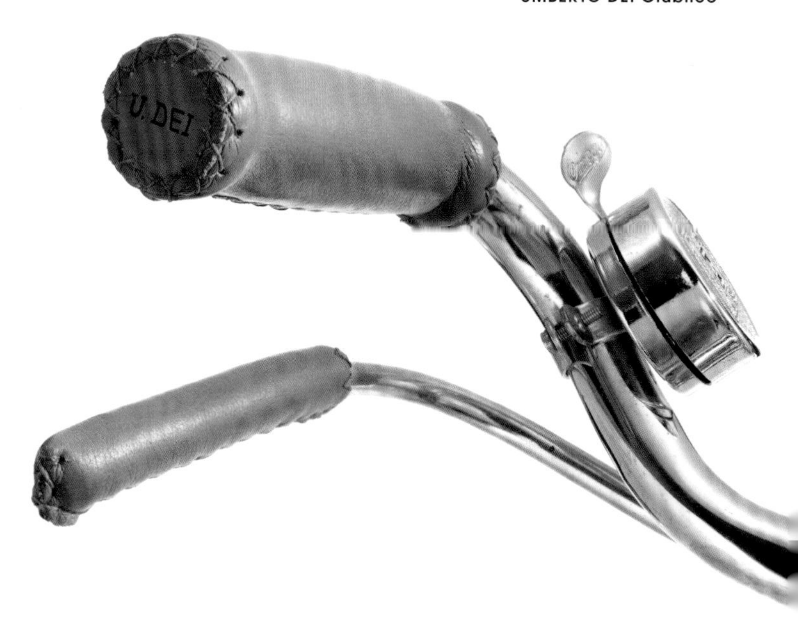

Cette marque a fait ses débuts dans les vélos de course et, malgré les moyens financiers limités de son fondateur, Dei réussit rapidement à se forger au début du XXe siècle une réputation de constructeur innovant de vélos de course légers. Dei choisissait ses composants pour préserver la qualité mais diminuer le poids, reconnaissant que des roues légères étaient plus faciles à manœuvrer.

Les roues d'Umberto Dei mesuraient uniquement 68 cm de diamètre et elles étaient aussi plus fines, ce qui en fait le précurseur des pneus tubulaires contemporains qui sont aujourd'hui la norme.

HERSKIND + HERSKIND Copenhagen

DE LA POÉSIE EN ACTION

STYLE DE VÉLO
VILLE

PAYS
DANEMARK

DATE
VERS 1995

POIDS
12 KG

CADRE
ACIER VERNI, 54,5 CM

MOYEU
3 VITESSES INTÉGRÉES TORPEDO (ARRIÈRE)

FREINS
PAR RÉTROPÉDALAGE (ARRIÈRE)

PNEUS
28 POUCES TRINGLE RIGIDE

Le Copenhagen provient d'un pays qui n'est pas habituellement associé aux coureurs cyclistes. C'est probablement pour cette raison qu'il ne fit son apparition qu'après le déménagement en Allemagne d'un de ses concepteurs, Jan Herskind.

Herskind, né en 1955 à Roskilde, fit des études de théâtre avant de se tourner vers le monde du design au milieu des années 1970. Il conçut des produits tels que l'horloge mondiale (qui fut un certain temps placée à l'entrée du musée d'Art moderne à New York) et, avec l'aide de son frère Jakob, des vêtements et le vélo Copenhagen.

Ils produisirent différents modèles, dont un vélo pour femmes et un vélo porteur. Chaque produit était une édition limitée fabriquée entièrement à la main sans chaîne de montage. Le vélo ci-contre (numéro 1663) est une édition limitée dont seulement 500 pièces ont été produites.

Le Copenhagen est un régal pour les yeux. La peinture foncée contraste avec la clarté du cuir naturel (la selle et le guidon artistiquement cousus) et du bois (le garde-boue, les pédales et même l'étroit garde-chaîne).

TUR MECCANICA
Bi Bici
UNE BICYCLETTE COURTE POUR DEUX

STYLE DE VÉLO
TANDEM, ORIGINAL

PAYS
ITALIE

DATE
VERS 1980

POIDS
22,5 KG

CADRE
ACIER VERNI, 43,2 CM

DÉRAILLEUR
HURET 4 VITESSES (ARRIÈRE)

FREINS
À PATINS UNIVERSAL

PNEUS
26 POUCES TRINGLE RIGIDE

L'inconvénient majeur de la plupart des tandems est leur mauvaise maniabilité. Le long empattement convient pour un cyclisme de longue distance et les routes droites, mais les routes étroites et sinueuses sont hors de question.

Si l'on cherchait un tandem original en 1980, c'était avec le Bi Bici de Tur Meccanica qu'on le trouvait. D'une longueur légèrement supérieure à celle d'une bicyclette pour une personne, il ne forçait le cycliste à changer ni sa route ni son style – à l'exception de la règle fondamentale du tandem : le stoker (passager) monte en dernier. La présence du capitaine à l'avant empêchait le vélo de basculer soudainement, ce qui pouvait arriver si le stoker montait en premier.

Ce risque n'était présent avec ce tandem plus court que si le stoker était beaucoup plus lourd que le capitaine. C'est pour ça que le Bi Bici convenait à un adulte et un enfant, ou bien à deux adultes de même poids.

C'était également un modèle intéressant à étudier pour sa partie mécanique ; la broche de l'axe de pédalier arrière passait par le moyeu de la roue arrière sans l'impulser. La force était en revanche détournée par le biais d'une chaîne vers la transmission du capitaine, et de là détournée à nouveau le long du côté droit vers le moyeu de la roue arrière. Un dérailleur permettait au cycliste d'avoir le choix entre quatre vitesses.

Le concept du tandem court date des années 1880, quand ils étaient produits sur la base de cadres et d'empattement de vélos solo.

BUDDY BIKE
Buddy Bike
L'ÉGALITÉ SUR UNE BICYCLETTE

STYLE DE VÉLO
TANDEM, ORIGINAL

PAYS
TAÏWAN

DATE
VERS 1988

POIDS
27,5 KG

CADRE
ACIER VERNI, 46 CM

DÉRAILLEUR
SHIMANO ALTUS 6 VITESSES (ARRIÈRE)

FREINS
À PATINS ODYSSEY (AVANT), À ÉTRIERS, TIRAGE CENTRAL PULLODYSSEY PITBULL (ARRIÈRE)

PNEUS
26 POUCES TRINGLE RIGIDE

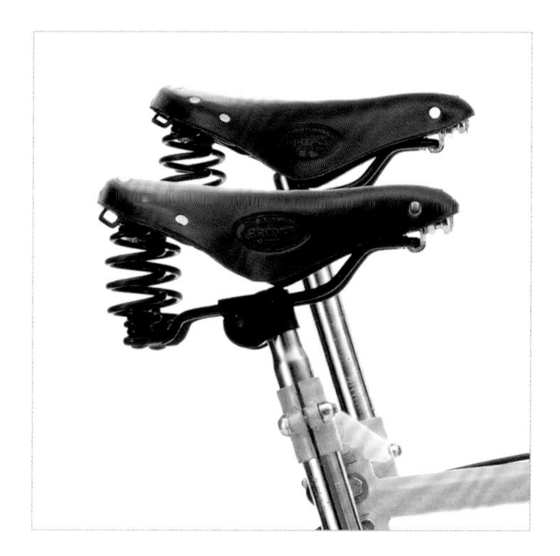

HASE SPEZIALRÄDER
Pino Tour
POUR UNE BALADE DÉCONTRACTÉE

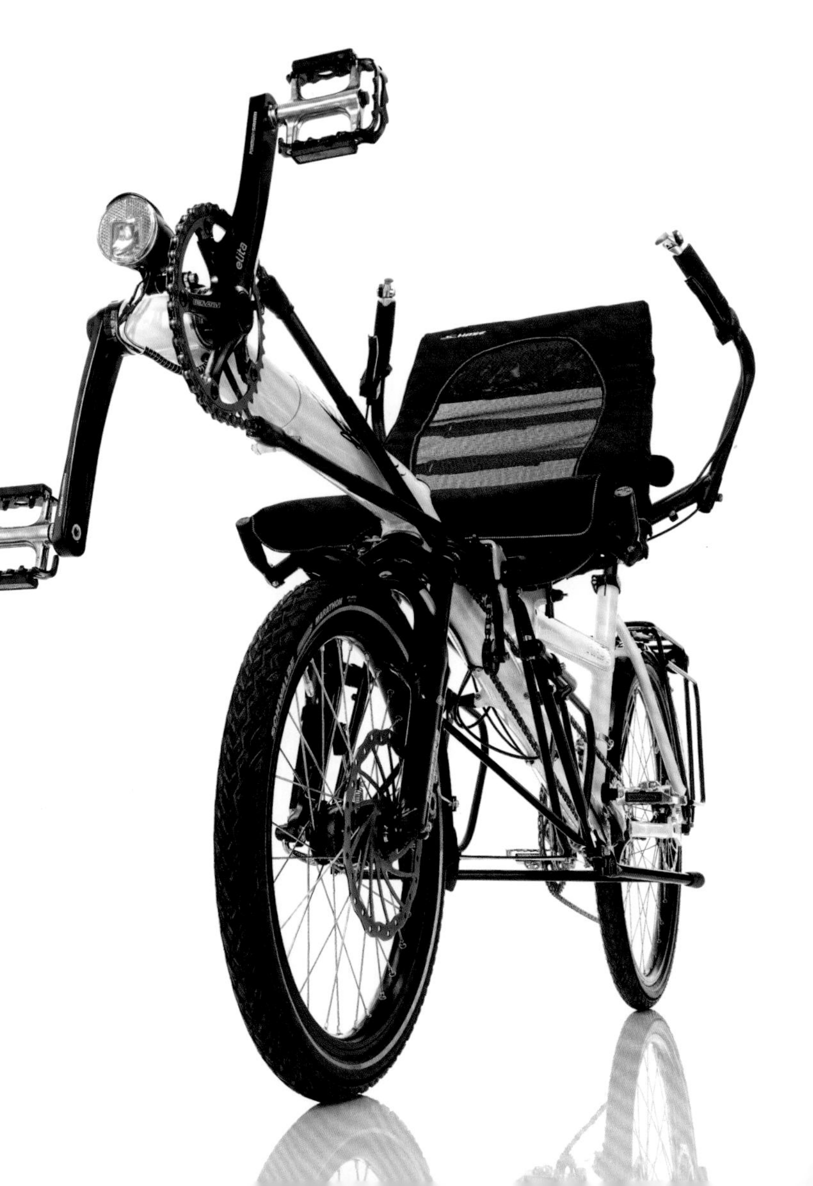

STYLE DE VÉLO
TANDEM, CYCLOTOURISME

PAYS
ALLEMAGNE

DATE
2010

POIDS
23,8 KG

CADRE
ALUMINIUM VERNI, 47,5 CM

DÉRAILLEUR
SHIMANO DURA-ACE TRIPLE (AVANT),
SHIMANO DEORE XT (ARRIÈRE) 3 × 9 VITESSES

FREINS
À DISQUE MAGURA LOUISE

PNEUS
20 POUCES TRINGLE RIGIDE (AVANT),
26 POUCES TRINGLE RIGIDE (ARRIÈRE)

En tandem, la position du stoker est considérablement plus ennuyeuse que celle du capitaine, qui profite d'une vue dégagée à l'avant. Un autre inconvénient pour le stoker, c'est qu'il n'a aucun pouvoir de freinage ou de guidage et que les demandes au capitaine risquent de ne pas être entendues à cause du vent.

Les tandems traditionnels ne rendent pas la communication facile, et c'est cet aspect que l'entreprise Hase a voulu améliorer avec le Pino Tour. Les sièges du tandem sont ici beaucoup plus rapprochés l'un de l'autre et le cycliste de l'avant est allongé de manière que le stoker puisse jouir d'une vue sans limites. La communication est plus facile et le tandem peut être ajusté à la longueur des jambes du capitaine.

Le court empattement de 140 cm assure la maniabilité, le capitaine peut arrêter de pédaler et reposer ses pieds en roue libre.

Le cadre en aluminium peut être démonté, et dans ce cas il mesure 110 × 30 × 80 cm. Hase produisit environ 2 300 exemplaires de ce modèle.

L'entreprise construit des bicyclettes atypiques depuis 1994. Tous ses employés sont des cyclistes passionnés, le directeur, Marec Hase, inclus. Il commença à produire des prototypes de bicyclettes à l'âge de 13 ans, et au moment où il remporta le « Jugend forscht » (concours allemand pour jeunes scientifiques), Hase avait déjà construit 30 vélos. Il créa son entreprise à l'âge de 23 ans.

short bike
SCHWALBE
BIG APPLE

SMITH & CO. Long John

UNE JOURNÉE DE TRAVAIL SUR ROUES

STYLE DE VÉLO
PORTEUR, ORIGINAL

PAYS
DANEMARK

DATE
1983

POIDS
32 KG

CADRE
ACIER VERNI, 50 CM

MOYEU
TORPEDO DUOMATIC 3 VITESSES INTÉGRÉES (ARRIÈRE)

FREINS
À TAMBOURS WEINMANN (AVANT),
RÉTROPÉDALAGE TORPEDO (ARRIÈRE)

PNEUS
20 POUCES TRINGLE RIGIDE (AVANT),
23 POUCES TRINGLE RIGIDE (ARRIÈRE)

Les bicyclettes conçues pour transporter des charges ont rarement été de beaux objets. Les paquets étaient traditionnellement placés dans des porte-bagages à l'avant et à l'arrière, et des paniers de marchandises spécifiques étaient utilisés quand de lourdes charges devaient être transportées – ce qui nécessitait généralement l'addition d'une troisième roue.

Le Long John de Smith & Co. était le seul porteur à deux roues. C'était le plus long, avec une capacité de charge d'environ 140 kg, cycliste inclus. Même chargé, il était facile de garder l'équilibre, ce qui déconcertait les passants. Le Long John avait également tendance à impressionner les autres cyclistes quand ils étaient dépassés.

Le système de direction est remarquable, car il passe en dessous de l'espace de cargaison, contournant élégamment la roue avant quand elle pivote.

Le modèle Long John a été produit par plusieurs fabricants dans un certain nombre de pays. Ce modèle danois est de Smith & Co., il porte le numéro S119199V.

LABOR
Spéciale Course
UNE BICYCLETTE PONT

TYPE DE VÉLO
COURSE

PAYS
FRANCE

DATE
1922

POIDS
12,3 KG

CADRE
ACIER VERNI, 57,5 CM

MOYEU
À PIGNON FIXE

FREINS
À PATINS (ARRIÈRE)

PNEUS
TUBULAIRES 27 POUCES

L'histoire des bicyclettes Labor est assez floue, bien qu'il soit reconnu qu'en 1906 et 1907 Louis Darragon devint champion du monde et de France sur une Labor. La compagnie fut rachetée dans les années 1920 par Alcyon, le fabricant classique de motocyclettes.

Dans les années 1920, les vélos Labor, renommés pour leur résistance à la torsion et pour leurs publicités montrant une classe pleine de singes dessinant des vélos Labor, devinrent des objets cultes.

Une caractéristique familière d'un Labor était le design du cadre « pont », inspiré par le génie civil. L'idée existait depuis 1902, notamment aux États-Unis sur les vélos Iver Johnson. Les vélos de course Labor étaient ainsi destinés à gagner le classique Paris-Roubaix (victoire de Paul Deman en 1920 et d'Albert Dejonghe en 1922). S'ensuivent de nouvelles victoires lors du Bordeaux-Paris et du Tour du Maroc, tandis que Labor lance la carrière professionnelle de François Faber, l'un des plus célèbres coureurs d'avant-guerre.

Le modèle de Labor présenté ici (numéro 104040) est en parfaite condition et est impressionnant tant il reste stable à l'utilisation.

MASI Gran Criterium

De nombreux cadres Masi portaient un nom différent, puisque le designer, Faliero Masi (coureur cycliste dans sa jeunesse), en produisait pour d'autres professionnels qui les peignaient aux couleurs du sponsor de leur équipe. Cette loyauté incomplète était tout à l'honneur des cadres Masi qui étaient excellents à l'emploi et particulièrement légers. Eddy Merckx commença sa carrière sur un Masi que sa peinture déguisait en Peugeot et son coéquipier Tom Simpson fit le même choix. Le Masi de Rik Van Looy était peint comme une Superia et Fausto Coppi, Jacques Anquetil et Vittorio Adorni avaient également un Masi.

Faliero Masi était connu comme « Le Tailleur » et, en 1984, un magazine de cyclisme américain le qualifia d'« Enzo Ferrari de la construction de cadres ».

L'atelier où Masi produisait ses cadres était réduit et il avait pour habitude de fermer les volets pour plus d'intimité. La seule personne jouissant d'un accès illimité était son fils, Alberto, le cerveau à l'origine des nombreux détails raffinés qui font aujourd'hui encore la grandeur des Masi.

Alberto Masi a accompagné son entreprise jusqu'à son actuelle prospérité. De nos jours, le Masi Gran Criterium est une des bicyclettes de collection les plus recherchées. Le modèle présenté ici date de 1978 et fut un des derniers jamais produits. Il porte le numéro HAT58486M.

COLNAGO Brügelmann
UN MODÈLE DE DESIGNER

TYPE DE VÉLO
CYCLOTOURISME

PAYS
ITALIE

DATE
VERS 1979

POIDS
9,4 KG

CADRE
ACIER VERNI, 57 CM

DÉRAILLEUR
CAMPAGNOLO NUOVO RECORD 2 × 6 VITESSES

FREINS
À PATINS CAMPAGNOLO

PNEUS
TUBULAIRES 27 POUCES

La couleur noire mate du capot de l'Opel Manta en a fait un symbole de tout ce qui est sportif, et l'or a toujours été synonyme de luxe. Il est donc naturel que les luxueuses bicyclettes Colnago soient peintes de ces couleurs.

Le modèle ci-dessous a été vendu par des marchands de Francfort-sur-le-Main appelés Manfred et Rolf Brügelmann, qui présentaient les vélos sous leur propre nom.

Ils ouvrirent un magasin en 1932 et publièrent un catalogue annuel de VPC – dépassé en taille par le seul annuaire téléphonique. Le succès vint dans les années 1970 et dura jusqu'aux années 1990, la compagnie forgeant de solides relations avec de nombreux fabricants de vélos renommés. Ernesto Colnago aimait approvisionner Brügelmann, comme le faisait aussi Cino Cinelli, et les clients pouvaient même améliorer leur vélo avec des pièces haut de gamme.

Vers 1980, les « Spécialités Brügelmann » ont été présentées dans le catalogue – des pièces hautement raffinées, pantographiées, anodisées et même plaquées or. Tuning psychologique pour vélos, pour ainsi dire.

BREV CAMPAGNOLO

BRUGELMANN
BRUGELMANN

RIGI Bici Corta

ACIER DE GRANDE QUALITÉ ET AUTRES RAFFINEMENTS

TYPE DE VÉLO
COURSE, ORIGINAL

PAYS
ITALIE

DATE
VERS 1979

POIDS
9,6 KG

CADRE
ACIER POLI INOXYDABLE, 55 CM

DÉRAILLEUR
CAMPAGNOLO RALLY 2 × 6 VITESSES

FREINS
À PATINS CAMPAGNOLO SUPER RECORD

PNEUS
TUBULAIRES 27 POUCES

Ce modèle s'appelle « Bici Corta » (vélo court) et n'importe quelle prise de mesure confirme qu'il est 6 cm plus petit que les vélos de course conventionnels, avec un empattement de 95 cm (voir le V.S. 37 page 156).

Avec l'empattement réduit, la tige de selle doit être scindée afin que la roue arrière se place entre les deux branches. Tout comme le V.S. 37, le Rigi (diminutif de Rinaldi Giorgio, fondateur de la compagnie) promet une maniabilité parfaite pour le contre-la-montre et une meilleure prise en main en ascension.

Le cadre en acier inoxydable et ses soudures argent spéciales ne sont pas sans rappeler la technologie spatiale. Le vélo a été assemblé par la compagnie Rima (diminutif de Rinaldi Marco, fils de Giorgio), fabricant de fournitures de bureau. Le numéro de la bicyclette ci-contre est le 2.

En 1979, la Rigi Bici Corta a été nommée pour le « Compasso d'Oro », un prix accordé aux conceptions italiennes d'excellence.

Berma Professional

QUAND LE CHROME DEVIENT COLORÉ

TYPE DE VÉLO
COURSE

PAYS
ITALIE

DATE
VERS 1980

POIDS
9,2 KG

CADRE
ACIER CHROMÉ + LAQUÉ, 57,5 CM

DÉRAILLEUR
CAMPAGNOLO SUPER RECORD ICS 2 × 6 VITESSES

FREINS
À PATINS MODOLO PROFESSIONAL

PNEUS
TUBULAIRES 27 POUCES

Mario Bertocco était mécanicien chez Torpedo quand il fonda son entreprise, Berma, un acronyme de son nom, et aujourd'hui ses petits-enfants dirigent encore l'entreprise et le commerce de vélos à Padoue.

Quand le Professional, produit sophistiqué et succès commercial, était en production, les fils de Mario, Antonio et Renzo, étaient à la barre. Le Professional de couleur bronze était vitré, technique qui apparut pour la première fois en 1920 quand Harry Wyld courait pour Selbach. Le processus consistait à mettre une couche de vernis transparent sur les tubes nickelés ou chromés ; il a été plus ou moins populaire au fil des décennies.

Pendant l'ère de la Berma Professional, le coûteux Super Record de Campagnolo fait avec des pièces de titane était déjà légendaire. Depuis que le fondateur de l'entreprise, Tullio Campagnolo, avait inventé l'essieu à dégagement rapide en 1930 (voir page 13), l'entreprise était en avance sur la concurrence en termes d'innovation (et de prix) – à l'exception de son premier système de vitesses, le Cambio Corsa. Dans le début des années 1950, cependant, le système d'engrenage Grand Sport s'est développé, ce qui a mené directement (avec quelques modifications) à la fabrication du modèle Super Record (utilisé sur le Berma Professional). Il a été en production jusqu'en 1986.

PATENT
ICS

BERMA
BERMA
BERMA
MODOLO

GAZELLE Champion Mondial

34 MILLIMÈTRES CRUCIAUX

TYPE DE VÉLO
COURSE

PAYS
PAYS-BAS

DATE
VERS 1981

POIDS
10,2 KG

CADRE
ACIER VERNI, 60 CM

DÉRAILLEUR
CAMPAGNOLO NUOVO RECORD 2 × 6 VITESSES

FREINS
À PATINS CAMPAGNOLO RECORD

PNEUS
TUBULAIRES 27 POUCES

La construction du cadre et le travail de peinture sur le vélo de route Gazelle Champion Mondial étaient magnifiques et découlaient d'une conception épurée qui évitait tous effets spéciaux. Bien que sa qualité la plus marquée soit l'expérience qu'on éprouve en le montant, il doit sa renommée à ses manivelles Colrout, décrites en France (son pays de production) comme des « manivelles excentriques » – le levier de la manivelle faisait au moins 34 mm de moins que la moyenne. Cela signifiait que le guidon et la selle devaient être ajustés à une distance égale afin d'obtenir une position d'assise confortable. Inutile de préciser qu'au fil des ans, le design du Gazelle a évolué et les « manivelles excentriques » ont été progressivement supprimées.

Les vélos de route Gazelle ne reçoivent peut-être pas l'attention qu'ils méritent mais ils ont certainement gagné une place sur la scène internationale. Ce n'est pas un hasard si le Hollandais Jan Raas et l'équipe Frisol-Gazelle ont eu autant de succès pendant le Milan-San Remo en 1977 sur ce modèle.

PATENT CAMPAGNOLO
54
COLROUT

DIEREN
REYNOLDS
531
FORK
BLADES

C.B.T. ITALIA Champions

UNE BRÈCHE POUR LA MANIABILITÉ

TYPE DE VÉLO
COURSE

PAYS
ITALIE

DATE
VERS 1985

POIDS
9,2 KG

CADRE
ACIER VERNI, 57 CM

DÉRAILLEUR
CAMPAGNOLO SUPER RECORD 2 × 6 VITESSES

FREINS
À PATINS CAMPAGNOLO SUPER RECORD

PNEUS
TUBULAIRES 27 POUCES

Le nom de l'entreprise est l'abréviation de « Construzione Biciclette Tardivo » et C.B.T. Italia a été fondée au milieu des années 1950 par Giovanni Tardivo.

Ce ne fut pas avant le milieu des années 1970 que le fils de Giovanni, Guido, décida d'inclure les courses de vélos dans leur programme. Quand son frère Bruno s'ajouta à l'équipe, les vélos de course devinrent l'intérêt principal et furent même exposés sur les stands des salons d'innovateurs.

Les Champions avaient une tige de selle divisée pour laisser de l'espace pour la roue arrière. Nombre de parties du vélo semblaient avoir été conçues en soufflerie. Les manivelles du pédalier étaient le résultat d'une erreur particulièrement ambitieuse ; croire que les angles de la manivelle atténuaient le fameux facteur Q. Aujourd'hui on sait que cela rendait les manivelles plus lourdes – et elles sont maintenant devenues des objets de collection convoités.

C.B.T. Italia a aussi utilisé le chromage noir pour ses bicyclettes mais pas avant Steyr-Daimler-Puch (voir page 158).

3RENSHO Super Record Export

LE MEILLEUR DE L'AÉRODYNAMIQUE

TYPE DE VÉLO
COURSE

PAYS
JAPON

DATE
VERS 1984

POIDS
9,3 KG

CADRE
ACIER VERNI, 57,5 CM

DÉRAILLEUR
SHIMANO DURA-ACE AX 2 × 7 VITESSES

FREINS
À ÉTRIERS, TIRAGE CENTRAL, SHIMANO DURA-ACE AX

PNEUS
TUBULAIRES 27 POUCES

Peu de constructeurs japonais ont connu un succès international mais Yoshi Konno est une exception. Il a commencé par désassembler et ressouder des cadres Cinelli après les J.O. de Tokyo en 1964, puis à vendre ses vélos élégants et délicatement construits sous la marque Cherubim Cyclone en 1973. Depuis, il a créé de nombreux modèles de cadres originaux qui sont devenus des pièces de collection. Konno nomma sa compagnie 3Rensho (« trois victoires ») et, en effet, des cyclistes tels que Nelson Veils, Koichi Nakano, Dave Grylls et Bob Mionske ont tous triomphé sur une Konno.

Son aérodynamique constante (particulièrement pour le tube de direction et les parties supérieures des haubans), son câble de freins placé dans la tige de selle, voilà les clés techniques qui placent les vélos Konno au-dessus du lot.

Le cadre du vélo montré ci-contre est le numéro 6120.

DURA-ACE
DURA-ACE
DURA-ACE
Vittoria

3RENSHO

KIRK Precision
LÉGER ET INFLAMMABLE

TYPE DE VÉLO
COURSE

PAYS
ROYAUME-UNI

DATE
VERS 1988

POIDS
10,4 KG

CADRE
MAGNÉSIUM VERNI, 53 CM

DÉRAILLEUR
SHIMANO DURA-ACE 2 × 8 VITESSES

FREINS
À ÉTRIERS, TIRAGE CENTRAL, WEINMANN DELTA PRO

PNEUS
TUBULAIRES 27 POUCES

Fait du hasard, ce vélo porte également le nom du célèbre capitaine de la série Star Trek, un nom approprié pour une technologie du futur encore mal maîtrisée. Le cadre du Kirk est moulé à partir d'un alliage de magnésium. Bien que le magnésium soit encore plus léger que l'aluminium, il est malheureusement très inflammable aussi – après tout, c'est bien l'un des métaux les plus réactifs –, ce qui ajoute la corrosion au problème.

Le cadre étant moulé (et donc pas creux comme un tube), l'avantage du poids est aussi perdu. Le fait est que le Kirk était très susceptible de se déformer et il n'y avait qu'une ou deux tailles de cadres disponibles pour ce modèle, ce qui a aussi diminué son succès. Frank Kirk présenta son invention pour la première fois au New York Cycle Show en mai 1986, mais il omit le fait que les modèles exposés avaient des cadres en aluminium. Les commandes furent nombreuses et difficiles à honorer par la suite. Tristement, quand la nouvelle usine fut enfin achevée, un incendie provoqué par de la poussière de magnésium dans l'air brûlant spontanément la réduisit en cendres, quelques jours après le début de la production.

Parfois, le levier de vitesses ou les haubans des Kirk Precision qui avaient vraiment été livrés cassaient. Avec ce malheureux bilan, le Kirk Precision (modèle montré numéro 1426) est un parfait exemple d'un design imparfait.

EDDY MERCKX
Corsa Extra
DU MAÎTRE EN PERSONNE

TYPE DE VÉLO
COURSE

PAYS
BELGIQUE

DATE
1990

POIDS
10,2 KG

CADRE
ACIER VERNI, 58,5 CM

DÉRAILLEUR
CAMPAGNOLO RECORD 2 × 7 VITESSES

FREINS
À ÉTRIERS, TIRAGE CENTRAL, CAMPAGNOLO C RECORD DELTA

PNEUS
TUBULAIRES 27 POUCES

Lorsqu'il était actif sur le circuit, Eddy Merckx possédait des vélos sur lesquels son nom était inscrit, mais ils étaient produits par Faliero Masi, Ernesto Colnago, Ugo de Rosa ou la compagnie belge Kessels. Ce n'est qu'en 1980 que Merckx lança sa propre compagnie après qu'Ugo de Rosa lui a dévoilé les secrets de la construction de cadres.

En 1990, Merckx célébra le 10e anniversaire de sa compagnie avec une édition spéciale (numéro H7XC6915). Elle était peinte aux couleurs de l'équipe Molteni et nommée d'après la dynastie de producteurs de saucisses de Milan qui avaient sponsorisé l'équipe de 1958 à 1976. Le cycliste avec le plus de succès était Merckx lui-même. Sur les 633 victoires gagnées par l'équipe, il en avait gagné 246, même sur les tout premiers vélos de course Merckx.

La compagnie existe encore et Eddy Merckx reste probablement le coureur cycliste le plus couronné de succès jusqu'à nos jours. Personne n'est parvenu à enchaîner autant de réussites que lui et cette époque a été marquée par ses victoires.

Pour de nombreux fans, les années 1970 furent l'âge d'or du cyclisme professionnel – ainsi que de la fabrication de vélos de course.

« Messenger Bike »
SUR LA ROUTE COMME SUR LA PISTE

TYPE DE VÉLO
À PIGNON FIXE, VILLE

PAYS
ITALIE

DATE
VERS 1978

POIDS
8 KG

CADRE
ACIER VERNI, 56 CM

MOYEU
À PIGNON FIXE

PNEUS
TUBULAIRES 27 POUCES

Le « Messenger Bike » aurait plus convenu à un messager moderne car c'était le vélo de piste à pignon fixe. Le cadre vient probablement d'Italie où, à l'époque de sa création à la fin des années 1970, personne n'aurait pu prévoir que, plusieurs années plus tard, ce concept reviendrait en force.

Pour freiner sans freins, le poids du corps devait être déplacé vers l'avant au-dessus du guidon et les manivelles stoppaient la roue arrière. Avec cette méthode, le cycliste dérapait jusqu'à l'arrêt. Les rayons ovaloïdes sur la roue avant garantissaient une meilleure aérodynamique, tandis que le pont entre la fourche arrière (dans le style gothique) est un délice. Les composants Dura-Ace-10 de haute qualité du « Messenger Bike » (voir aussi Inbike/Textima, page 78) ont été approuvés par la NJS (Nihon Jitensha Shinkokai), l'autorité japonaise en matière de keirin, pour ses puissants pistards.

MERCIAN « Custom »
PLACE AUX SPÉCIALISTES

TYPE DE VÉLO
À PIGNON FIXE, VILLE

PAYS
ROYAUME-UNI

DATE
2005

POIDS
8,5 KG

CADRE
ACIER VERNI, 58,7 CM

MOYEU
À PIGNON FIXE

PNEUS
28 POUCES TRINGLE RIGIDE

Le fait que ce soit la base gauche du cadre (plutôt que, logiquement, celle de droite) de ce Mercian qui soit chromée suscite beaucoup d'intérêt et découle de la décision du premier propriétaire. Le Mercian a été fabriqué à la main selon ses spécifications sur une durée de neuf mois. La bicyclette présentée ici est numérotée 2008/6.

La fourche est droite comme sur les vélos de polo mais ces derniers ont une roue libre et de bons freins. Le Mercian ne peut rouler que sur des routes principalement droites car, à cause de l'empattement réduit, la roue avant cogne contre les pédales en tournant. Et, à cause de la roue arrière fixe, les pédales continuent de bouger sans relâche tandis que le vélo est en mouvement.

Les vélos Mercian sont produits à Derby en Angleterre depuis 1946. Malgré plusieurs délocalisations, le fabricant n'a jamais quitté la ville. L'enthousiasme pour les vélos Mercian a toujours été constant, et en 2007 Mercian s'est associé avec le créateur de mode Paul Smith (voir page 6) pour produire deux modèles en édition spéciale. Ceux-ci ont bien sûr bénéficié d'un travail de peinture d'un très bon goût.

GT Vengeance Aero Mark Allen

LE MEILLEUR AMI DU TRIATHLÈTE

TYPE DE VÉLO
COURSE

PAYS
ÉTATS-UNIS

DATE
1998

POIDS
9,3 KG

CADRE
ALUMINIUM VERNI, EXTRA-HAUT

DÉRAILLEUR
SHIMANO 600 2 × 8 VITESSES

FREINS
À PATINS SHIMANO 600

PNEUS
TUBULAIRES 26 POUCES

Pour que l'aérodynamique du GT Vengeance soit parfaite, même la forme goutte d'eau a été réinventée et allongée jusqu'à ce qu'elle ressemble à la lame d'un couteau. Voilà comment vous devez imaginer les sections de la plupart des tubes du cadre GT triathlon. Il a été développé pour l'équipe américaine des J.O. d'Atlanta en 1996 et a aussi été inclus au programme de vente du GT standard avec un succès impressionnant.

Ce succès ne va pas sans Mark Allen, l'homme qui gagna pratiquement tous les triathlons aux alentours de 1990. Il était un des « Big Four » du métier, six fois élu « triathlète de l'année » selon le magazine Triathlete et nommé « homme le plus en forme » par Outside. La même année, le GT Vengeance Edition Mark Allen arriva chez les concessionnaires GT, avec des roues de 26 pouces, trois hauteurs de cadre et des détails raffinés. Le modèle présenté ici est le 229.

GT a été fondé en 1979 par Gary Turner et son ami Richard Long à Santa Ana, Californie, et ils ont rapidement élargi leur gamme de BMX à des VTT et même des vélos de course. Le fait que pratiquement personne en dehors de la communauté cycliste ne se soit rendu compte de leur faillite le 11 septembre 2001 est compréhensible ; le monde entier regardait les images de l'attaque du World Trade Center à New York.

AIRNIMAL Chameleon

LE MEILLEUR DES DEUX MONDES

TYPE DE VÉLO
PLIANT, COURSE

PAYS
ROYAUME-UNI

DATE
VERS 2005

POIDS
10 KG

CADRE
ALUMINIUM VERNI, 49,4 CM

DÉRAILLEUR
SHIMANO 105 3 × 9 VITESSES

FREINS
À PATINS SHIMANO 105

PNEUS
24 POUCES TRINGLE RIGIDE

La compagnie anglaise Airnimal avait des ambitions semblables à celles de pratiquement tous les fabricants de bicyclettes pliantes : produire un vélo qui soit petit plié mais très performant sur route. L'Airnimal Chameleon, qui a été mis à l'épreuve des routes après quatre ans de recherche, repose sur d'inhabituelles roues de 24 pouces. En fait, il roule comme un vélo léger haut de gamme – ce qu'il est bien entendu.

La suspension de sa roue arrière utilise un élastomère pour supprimer toute secousse due aux irrégularités de la route, sans pour autant – en théorie – entraver la force de pédalage au même moment. Le bras oscillant arrière peut se ranger derrière le cadre lorsque le vélo est plié. Quiconque est prêt à perdre quelques minutes avec un outil peut repartir avec un paquet très compact, mais si l'on ne veut passer que quelques secondes à plier le vélo sans utiliser d'outil, il faudra compter avec un paquet plus grand à transporter, ce qui semble être un compromis raisonnable.

L'Airnimal Chameleon a déjà prouvé à plusieurs reprises combien sa performance sur route est bonne en compétition. Par exemple, sa participation dans le classique Paris-Brest-Paris fut un succès et le coureur anglais Peter Howard remporta la médaille de bronze au Triathlon du troisième âge sur un Chameleon aux championnats du monde en Nouvelle-Zélande.

Airnimal Designs
SHIMANO 105

Chameleon
Airnimal
VELOCITY
VELOCITY

DAHON Hammerhead 5.0

L'OISEAU (TRÈS) RARE

TYPE DE VÉLO
COURSE, ORIGINAL

PAYS
TAÏWAN/ÉTATS-UNIS

DATE
VERS 2005

POIDS
8,9 KG

CADRE
ALUMINIUM VERNI, 50,5 CM

DÉRAILLEUR
SHIMANO DURA-ACE 10 VITESSES (ARRIÈRE)

FREINS
À PATINS

PNEUS
20 POUCES TRINGLE RIGIDE

Le Dr David Hon déménagea de Hong Kong en Californie pour faire des études de physique, et c'est là que naquit son amour pour les vélos. Il étudia avec son frère chaque brevet de bicyclette pliable existante et présenta son premier prototype en 1980 au New York Bike Show.

Hon réussit à trouver des investisseurs, et en 1982 il fonda son entreprise de bicyclettes, Dahon. Depuis, son entreprise a vendu plus de 2 millions de bicyclettes, dont certaines ne peuvent pas être pliées comme le Dahon Hammerhead.

Même sans aucun dispositif de pliage, cette bicyclette est impressionnante avec son cadre extrêmement compact à arc double et sa suspension Kinetix Q. Grâce aux tubes en aluminium, le Hammerhead ne pèse que 10,2 kg, tandis que le 5.0 présenté ici ne pèse que 8,9 kg.

Ainsi, Dahon peut être classé parmi les bicyclettes « mini », ce qui peut cependant induire en erreur. La prise en main est excellente, et le Hammerhead s'inscrit ainsi parfaitement dans la tradition des vélos Alex Moulton (voir pages 100 et 102), dont le créateur inaugura une nouvelle ère de construction de vélos dans les années 1960.

L'impression de qualité ressentie en montant ce Hammerhead (numéro D512705410) est renforcée par les roues de 20 pouces HED, fabriquées à la main comme toutes les roues 16 pouces des modèles de l'entreprise. Seul le garage où HED a commencé dans les années 1980 a depuis été remplacé par des locaux plus grands.

BIKE FRIDAY New World Tourist

PETITES ROUES, GRAND VOYAGE

TYPE DE VÉLO
COURSE, CYCLOTOURISME, PLIANT

PAYS
ÉTATS-UNIS

DATE
1998

POIDS
10 KG

CADRE
ACIER VERNI, 58 CM

DÉRAILLEUR
CAMPAGNOLO 3 X 8 VITESSES (ARRIÈRE I),
MOYEU SRAM (ARRIÈRE II)

FREINS
À TIRAGE LINÉAIRE (V-BRAKE) AVID

PNEUS
20 POUCES TRINGLE RIGIDE

L'intérêt du vélo Bike Friday n'est pas de le sortir du coffre pour parcourir de courtes distances ; son but est plutôt de pouvoir s'échapper dans la vastitude du monde. Alan et Hanz Scholz ont d'abord tenté l'expérience des tandems, mais leur ami Richard Gabriel les a incités à construire des vélos de cyclotourisme pouvant être transportés discrètement dans d'autres moyens de transport.

Le « World Tourist » avec son cadre en diamant et son successeur, le « New World Tourist » (numéro 3778), avec son tube central stable ont un mécanisme de pliage intelligent. Grâce à leurs charnières inclinées, les différents composants du vélo s'évitent lorsque celui-ci est plié et il peut alors tenir dans une valise et être transporté sans aucun problème.

Lorsque vous roulez sur le Bike Friday, la valise peut être tirée comme une remorque remplie de vos bagages, et grâce aux composants Sachs/SRAM-3 x 8, plusieurs vitesses sont disponibles. Alan et Hanz Scholz aiment l'idée de voir des gens monter sur leur Bike Friday à l'aéroport, juste après être arrivés à destination.

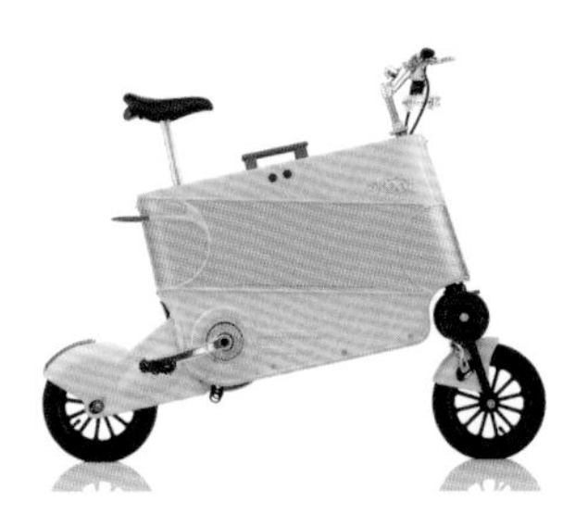

SKOOT INTERNATIONAL LTD Skoot

POUR L'AIMER ET LA CHÉRIR

TYPE DE VÉLO
VILLE, PLIANT, ORIGINAL

PAYS
ROYAUME-UNI

DATE
2001

POIDS
14,5 KG

CADRE
PLASTIQUE + ACIER, 53 CM

MOYEU
À PIGNON FIXE

FREINS
À PATINS

PNEUS
12 POUCES TRINGLE RIGIDE

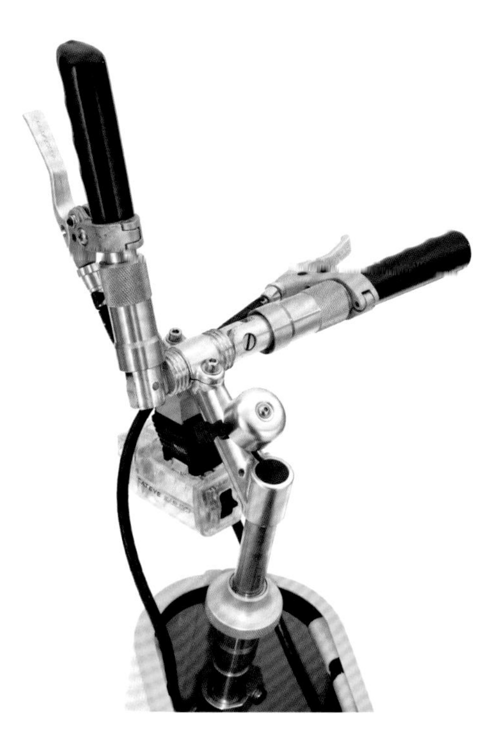

On pourrait croire à une blague, mais c'est bien un produit sérieux – une valise en forme de bicyclette et vice versa. Quand le siège, les roues, le guidon sont retirés et les manivelles attachées, le Skoot peut faire de petits trajets sous le regard des passants amusés. Il y a même la place pour transporter un ordinateur dans la valise.

Porter la bicyclette rangée dans la valise sur de longues distances n'est pas vraiment envisageable, le Skoot pesant 14,5 kg. Dans les transports publics, cependant, il ressemble tellement à une vraie valise qu'on n'a pas besoin de payer un billet pour le vélo.

Le designer Vincent Fallon et son fils Vaughan ont fondé l'entreprise Skoot International à Colchester au Royaume-Uni pour produire leur vélo. Le plastique Lustran pour le cadre en forme de valise (utilisé aussi pour des pièces de voiture) et les garde boue sont eux fabriqués par Bayer, entreprise basée à Leverkusen en Allemagne.

T&C Pocket Bici

ET C'EST PLIÉ !

TYPE DE VÉLO
PLIANT, ORIGINAL

PAYS
ITALIE

DATE
VERS 1963

POIDS
15,4 KG

CADRE
ACIER VERNI, 37 CM

MOYEU
À PIGNON FIXE

FREINS
À PATINS

PNEUS
12 POUCES TRINGLE RIGIDE

Plié, le T&C Pocket Bici ressemble à une concrétion de César, il trouverait sans problème sa place dans un musée d'Art contemporain. Même monté et prêt à rouler, son design fait sensation sur les pistes cyclables.

Le Pocket Bici a été inventé et breveté par T&C (Tresoldi & Castiraghi SRL) à Carugate dans la province de Milan. Environ 2 500 modèles ont été vendus, principalement en Chine, et l'accueil des cyclistes en Italie fut plutôt modeste.

Le mécanisme de pliage est assez complexe dans son fonctionnement et le maniement est celui qu'on pourrait attendre d'un vélo dont les roues font 12 pouces (il a tendance à se tordre). Néanmoins, les freins à câbles suggèrent de grandes ambitions. La double transmission semble particulièrement extravagante – sans elle, le plateau avant serait sûrement plus gros que les roues.

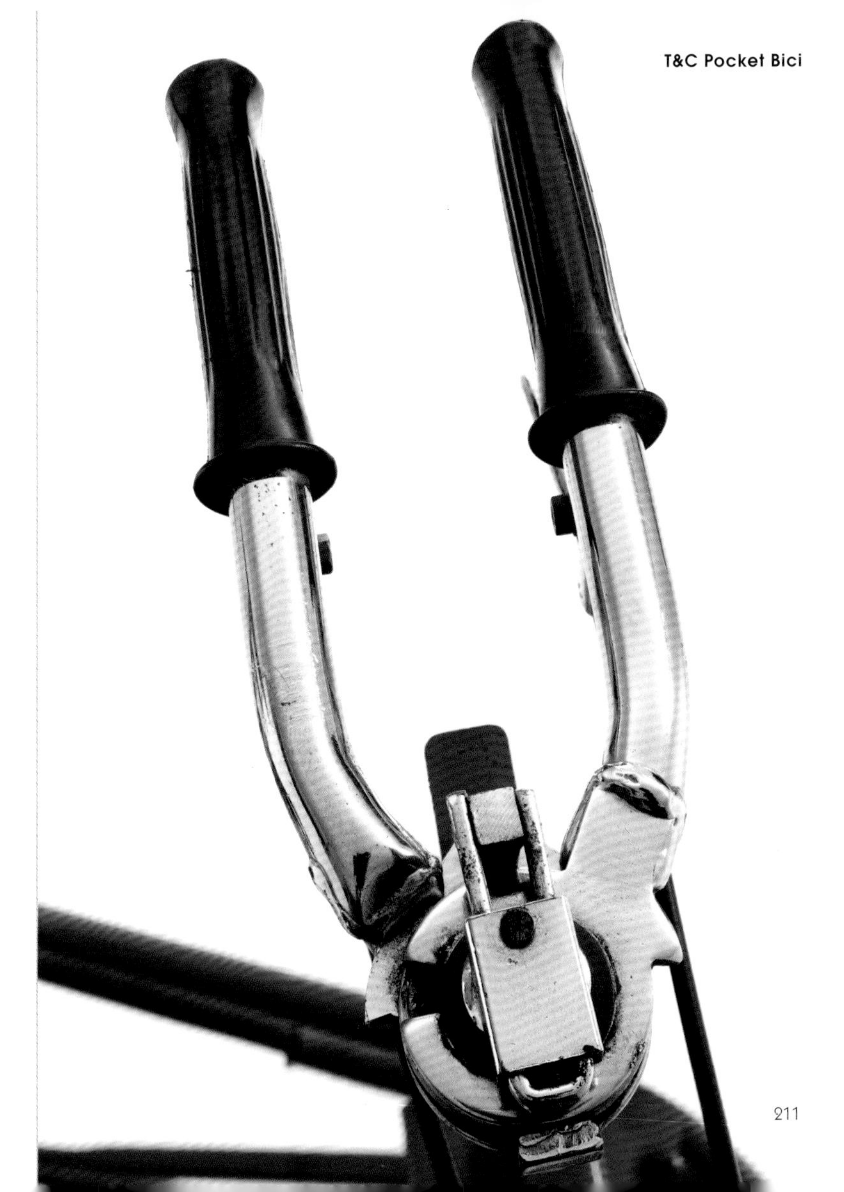

KATAKURA Silk Porta Cycle

L'ART JAPONAIS DU PLIAGE

TYPE DE VÉLO
VILLE, PLIANT

PAYS
JAPON

DATE
VERS 1964

POIDS
16,4 KG

CADRE
ACIER VERNI, 33 CM

MOYEU
À PIGNON FIXE

FREINS
À PATINS JS (AVANT), RÉTROPÉDALAGE (ARRIÈRE)

PNEUS
20 POUCES TRINGLE RIGIDE

Au milieu des années 1960, le Japon cherchait beaucoup son inspiration du côté de l'Europe, surtout dans le domaine du design. Vélos pliants et fusées étaient très à la mode à l'époque, comme le montre bien ce modèle japonais. La forme du guidon à sa base rappelle très nettement la forme d'une fusée.

Ce vélo n'avait pas été conçu pour résoudre les problèmes d'espace dans les villes japonaises et les coffres des petites voitures. Il fut d'abord imaginé pour assurer le ravitaillement des troupes vietnamiennes pendant la guerre. Ce n'est qu'après le conflit que sa carrière civile débuta. En Allemagne, par exemple, dans les années 1960 où comme la plupart des vélos pliants il fut désigné comme « carbicycle ». Seuls quelques vélos pliants disposaient de roues normales comme le René Herse Démontable (voir page 40), le BSA Paratrooper (voir page 218) ou le Trussardi (voir page 122).

Katakura, qui a fermé dans les années 1990, était surtout une fabrique de textile mais son activité s'étendait aux cycles.

Ceci dit, quiconque jette un coup d'œil à un Katakura Silk Porta Cycle plié comprendra la popularité du yoga.

LE PETIT BI

ET LE PLIAGE FUT

TYPE DE VÉLO
VILLE, PLIANT

PAYS
FRANCE

DATE
VERS 1937

POIDS
15,1 KG

CADRE
ACIER VERNI, 26,5 CM

DÉRAILLEUR
SIMPLEX TOURISTE (ARRIÈRE)

FREINS
À PATINS DAUNAY

PNEUS
18 POUCES TRINGLE RIGIDE

Les parallèles entre le Petit Bi et le Katakura Silk Porta Cycle (page 214) sont étonnants, surtout s'agissant du mécanisme de pliage du guidon.

Le Petit Bi était probablement le premier vélo à petites roues pliable et conçu pour adultes. Le cadre n'était pas affecté par le mécanisme de pliage, ainsi la quantité d'espace gagné était plutôt limitée. Le vélo devenait malgré tout moins long et moins haut et pouvait même tenir verticalement sur son large porte-bagages – même s'il était recommandé de retirer les sacoches avant.

Les éléments méritant d'être remarqués étaient les freins, la selle en cuir richement décorée de détails en relief et les ressorts sous selle – une caractéristique commune de nos jours, mais une nouveauté à la fin des années 1930.

Le guidon anticipait la mode des années 1970 des guidons élevés, mais tout le mérite d'avoir rendu à la mode les vélos avec de petites roues revient à Alex Moulton (voir le Speedsex, page 102).

BSA Paratrooper
UN VÉLO VENU DU CIEL

TYPE DE VÉLO
PLIANT, ORIGINAL

PAYS
ROYAUME-UNI

DATE
VERS 1940

POIDS
13,6 KG

CADRE
ACIER VERNI, 44 CM

MOYEU
À PIGNON FIXE

FREINS
À ÉTRIERS, TIRAGE CENTRAL

PNEUS
26 POUCES TRINGLE RIGIDE

Ce vélo parachutiste de BSA fut largué par l'armée britannique durant la Seconde Guerre mondiale avec son propre parachute attaché aux roues. On en produisit plus de 60 000 et des formateurs spécialisés conseillèrent les troupes sur son utilisation. Il fut au rendez-vous de l'histoire lors du débarquement.

Selle et guidons pointaient vers le bas et devaient être tirés le plus possible et serrés très légèrement. À l'impact au sol, la selle s'enfonçait dans le tube vertical et le guidon dans le tube de direction, amoindrissant la force de l'impact.

Même si ce vélo pliant pesait son poids, il aurait eu au bout de son parachute une allure plus maladroite si son cadre n'avait été pliant. Un vélo plus petit aurait été plus facile à larguer, mais au sol il aurait été moins adapté.

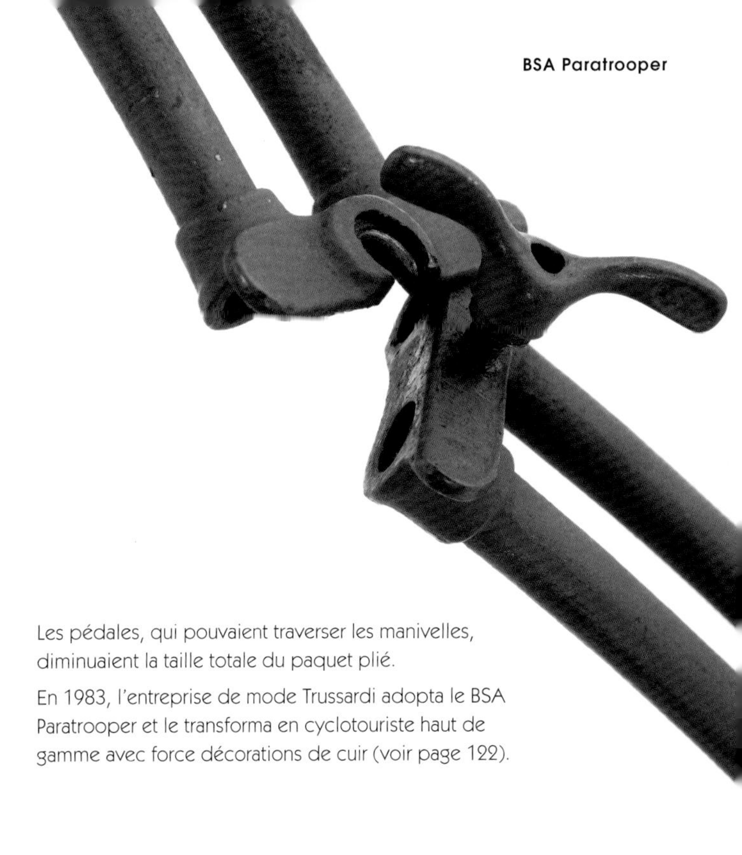

Les pédales, qui pouvaient traverser les manivelles, diminuaient la taille totale du paquet plié.

En 1983, l'entreprise de mode Trussardi adopta le BSA Paratrooper et le transforma en cyclotouriste haut de gamme avec force décorations de cuir (voir page 122).

Inconnu

L'AMI DES BRICOLEURS

TYPE DE VÉLO
VILLE, PLIANT, ORIGINAL

PAYS
FRANCE

DATE
VERS 1950

POIDS
14,5 KG

CADRE
ACIER VERNI, 32 CM

MOYEU
À PIGNON FIXE

FREINS
ARRIÈRE À PATINS CLB 650

PNEUS
14 POUCES TRINGLE RIGIDE

L'utilisation de ce vélo pliant nécessite une grande patience. Le design suscite à première vue une certaine appréhension, ce qui est confirmé par la pratique. Il faut compter environ une heure pour plier ce vélo, même en y étant habitué. Une fois plié, il est encore plus encombrant, étant alors plus plat et plus large, et doit être tiré comme une remorque – ce qui est assez remarquable pour une bicyclette. Mais ce vélo a été aussi conçu pour cela. Il servait à tirer les petits bateaux hors de l'eau, par exemple, lorsque les centrales électriques bloquaient le cours d'une rivière. Le bateau reposait sur les protections en caoutchouc. En fait, ce vélo n'a pas réellement été conçu pour rouler. D'ailleurs, la présence d'une seule poignée de frein l'atteste.

Une caractéristique à noter de l'« Inconnu » est que le support du frein arrière est soudé. Un tel détail explique le poids du vélo : 14,5 kg. Peut-être à cause des nombreux problèmes de conception, le créateur et le fabricant préfèrent rester anonymes. Aucun indice ne sera trouvé sur le vélo présenté, même si cela peut être dû à la peinture patinée. Une seule bicyclette « Inconnu » est connue, la voilà.

DUEMILA Duemila

MISSION SHOPPING

TYPE DE VÉLO
VILLE, PLIANT, ORIGINAL

PAYS
ITALIE

DATE
VERS 1968

POIDS
19,5 KG

CADRE
ACIER VERNI, HAUTEUR AJUSTABLE

MOYEU
À PIGNON FIXE

FREINS
À PATINS (AVANT), RÉTROPÉDALAGE (ARRIÈRE)

PNEUS
20 POUCES TRINGLE RIGIDE

Le seul nom de la bicyclette (qui signifie « deux mille ») s'orientait vers l'avenir et reflétait l'obsession des années 1960 pour le voyage dans le temps.

Le logo de Duemila – le nom de la marque comme un noyau atomique entouré d'atomes – allait dans le même sens. À l'époque, c'était du design d'avant-garde mais aujourd'hui, tout comme le modèle d'attraction atomique de Bohr, il est passé de mode. Avec son design de fusée, le Duemila faisait d'un petit saut en ville une mission-suicide.

Le Duemila était l'un des vélos pliants les plus beaux de son temps mais aussi l'un des plus incommodes. La hauteur de la selle, par exemple, ne pouvait être réglée comme à l'ordinaire, même si, en l'inclinant un peu, on pouvait gagner quelques précieux centimètres.

2000

2000

BICKERTON Portable

UN PARFUM DE ROLLS ROYCE

TYPE DE VÉLO
VILLE, PLIANT

PAYS
ROYAUME-UNI

DATE
VERS 1971

POIDS
9,6 KG

CADRE
ALUMINIUM, 26 CM

MOYEU
STURMEY ARCHER 3 VITESSES INTÉGRÉES (ARRIÈRE)

FREINS
À PATINS WEINMANN TYPE 730

PNEUS
14 POUCES TRINGLE RIGIDE (AVANT),
16 POUCES TRINGLE RIGIDE (ARRIÈRE)

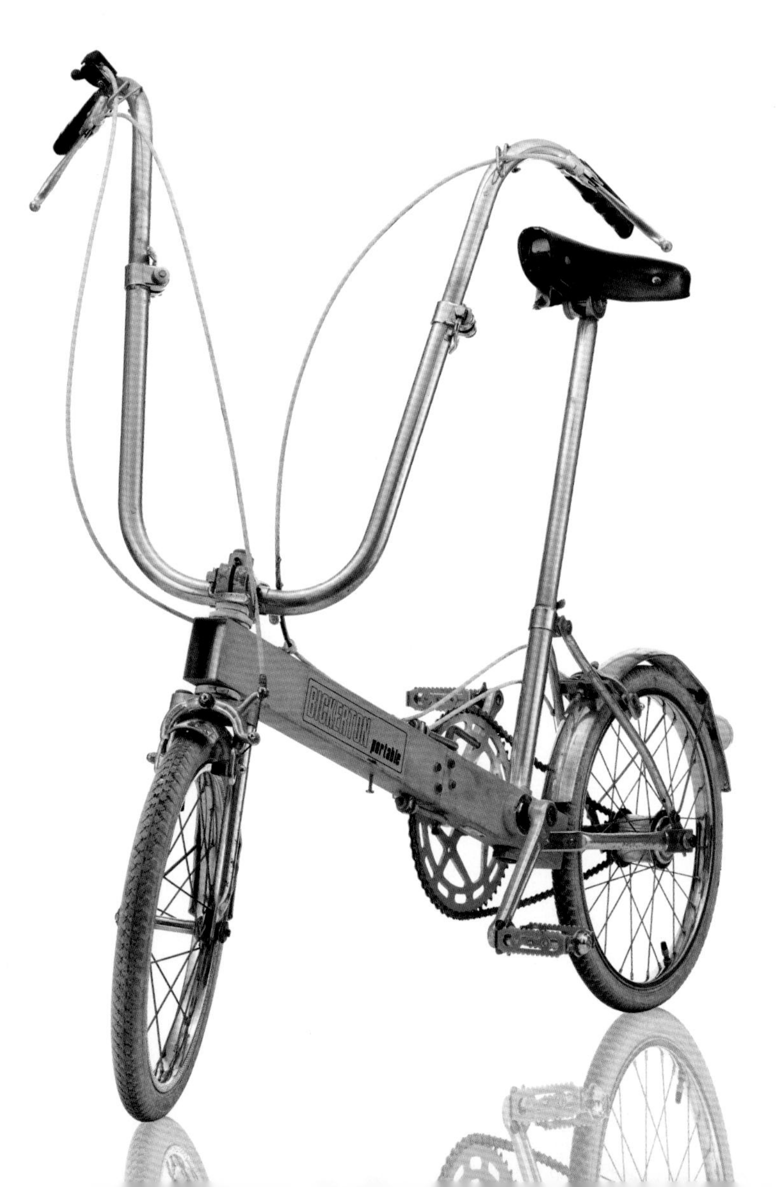

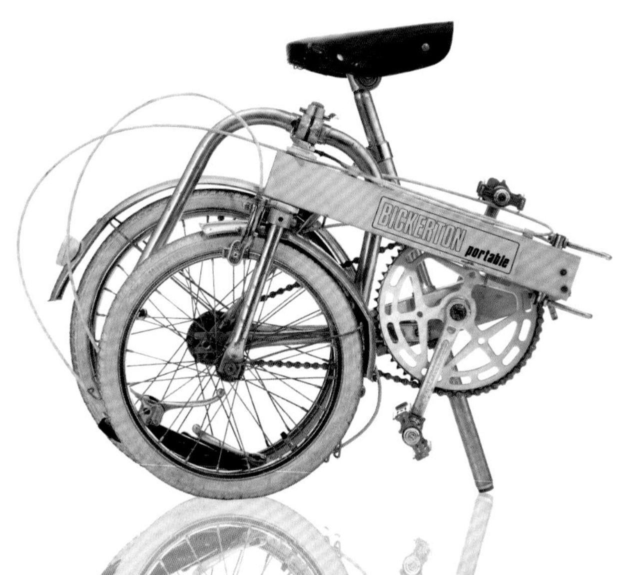

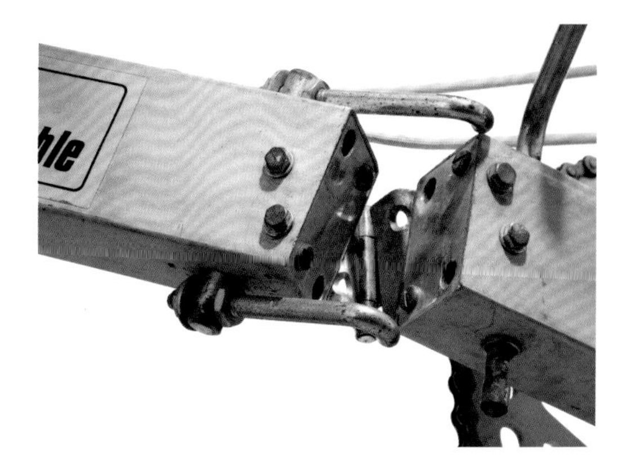

Ce vélo a été construit par un ingénieur de chez Rolls Royce qui, malgré la perte de son permis de conduire, voulait quand même se déplacer avec un moyen de transport stylé reflétant son statut social. Le Bickerton portable fut le premier vélo pliant à être véritablement léger et facile à transporter. Plié, il était si petit qu'il rentrait dans le coffre d'une Mini Classique. Il était tout en aluminium – les jantes en acier étant la seule exception.

Avec le recul de quelques décennies, on peut dire que le Bickerton Portable a quelques défauts – pas exactement l'équivalent de la Rolls Royce en prestige et solidité. Il a tendance à se tordre, envoyant fréquemment le cycliste par-dessus bord. Après sa propre chute, Harry Bickerton écrivit dans une brochure : « Conçu pour des êtres humains intelligents et compétents, pas pour des gorilles. »

Les ventes du Bickerton furent cependant excellentes et, de 1971 à 1989, près de 50 000 vélos furent fabriqués. Le modèle présenté ici est le numéro A2033.

STRIDA LTD Strida 1

ET LE PRIX EST ATTRIBUÉ À...

TYPE DE VÉLO
VILLE, PLIANT, ORIGINAL

PAYS
ROYAUME-UNI

DATE
1988

POIDS
11 KG

MOYEU
À PIGNON FIXE

FREINS
À TAMBOURS

PNEUS
16 POUCES TRINGLE RIGIDE

Le Strida 1, conçu par Mark Sanders, rafla tous les prix pour sa première en Grande-Bretagne en 1987. Meilleure nouvelle machine, meilleur produit britannique et prix d'innovation « Best in Show » au Royaume-Uni Cyclex Bicycle Innovation Awards en 1988. Succès commercial dès le début, le Strida 1 est toujours en production.

Le vélo a été conçu pour des distances jusqu'à 6 km et, avec ses petites roues et sa position droite, il n'est pas très confortable au-delà.

Techniquement, les points forts du Strida 1 incluent la courroie de transmission, la câblerie intégrée dans des tubes d'aluminium, d'innovantes roues en plastique dotées de réflecteurs et la fixation des roues sur un seul côté du cadre. Qui plus est, il ne faut que dix secondes pour le plier.

Le Strida 1 est fabriqué à Taïwan où la production en est à sa cinquième génération.

ELETTROMONTAGGI SRL
Zoombike
LE BÂTON DE CITADIN

TYPE DE VÉLO
PLIANT, ORIGINAL

PAYS
ITALIE/ALLEMAGNE

DATE
VERS 1994

POIDS
10,3 KG

CADRE
ALUMINIUM, 55 CM

DÉRAILLEUR
3 VITESSES (ARRIÈRE)

FREINS
À PATINS EXAGE

PNEUS
14 POUCES TRINGLE RIGIDE

À l'origine, l'intention du créateur Richard Sapper (qui travailla pour Alessi, Artemide, Mercedes-Benz et d'autres) était de concevoir un vélo pour améliorer la mobilité des citadins et pouvant être combiné à un autre moyen de transport. En 1998 et après dix ans de développement, l'Elettromontaggi SRL Zoombike fut lancé au Salon de l'automobile de Francfort et vendu à ce Salon comme le véhicule de choix pour parcourir de longues distances. Bien que populaire, et malgré ses 60 prototypes, le vélo n'atteint pas le stade de la production de masse.

Le Zoombike se vantait d'un cadre léger en aluminium et d'une silhouette nette et longiligne avec des parties parfaitement intégrées. Une fois plié, le dérailleur à trois vitesses tenait parfaitement dans le tube vertical avec le phare et la batterie, une ampoule LED, savamment placée dans le tube horizontal, servait de phare arrière et les câbles -Bowden internes se pliaient avec le cadre. Plié, le Zoombike ressemblait à un Strida 1 (voir page 228).

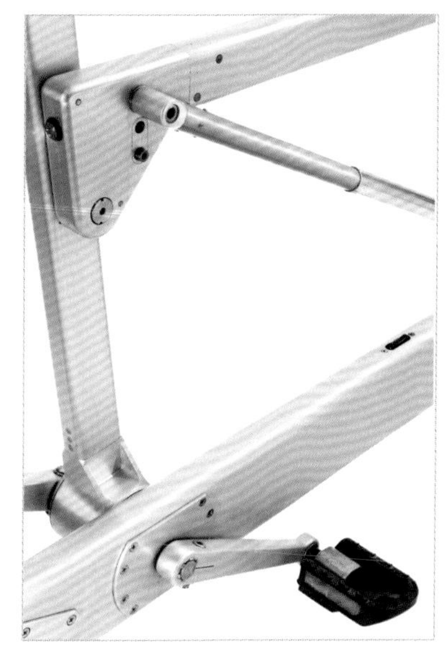

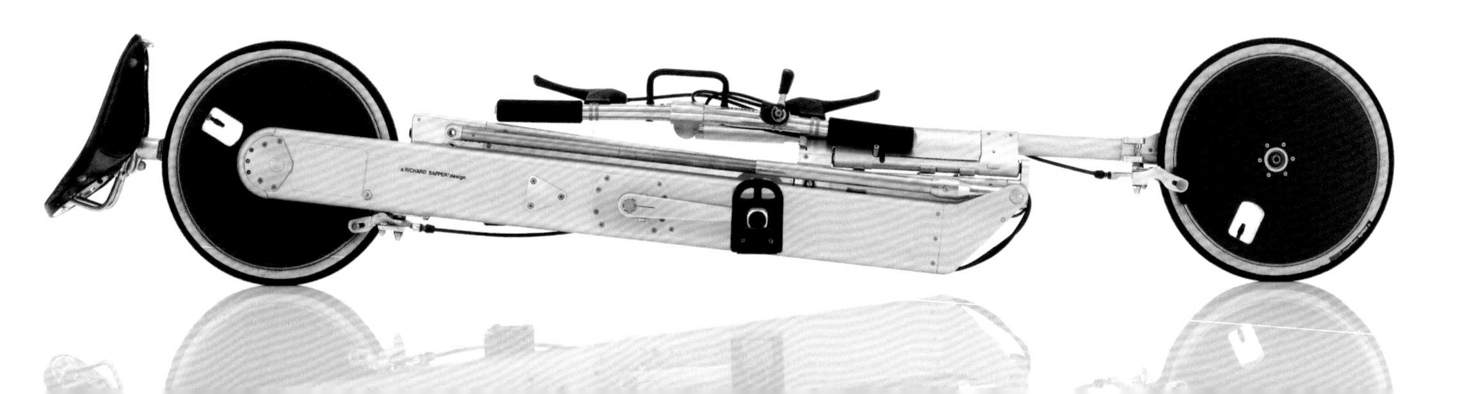

SACHS Tango

UN POIDS LOURD DEVANT SON TRÉPAS

TYPE DE VÉLO
VILLE, PLIANT

PAYS
PAYS-BAS

DATE
2000

POIDS
20,6 KG

CADRE
ALUMINIUM PLASTIFIÉ + ACIER, 53 CM

DÉRAILLEUR
SHIMANO NEXUS 4 VITESSES (ARRIÈRE)

FREINS
À TAMBOURS SHIMANO

PNEUS
16 POUCES TRINGLE RIGIDE

Au premier abord on pourrait croire le vélo pliant Tango allemand, mais il a ses origines aux Pays-Bas. Conçu par Urban Solutions, une entreprise hollandaise de design spécialisée en voitures de ville, le Tango « Car Bike » a bien des points communs avec ses cousines à quatre roues. Par exemple, tous les câbles sont intégrés à la structure, facilitant l'entretien, et il est totalement suspendu.

Le Tango apparut pour la première fois en 1997 au concours de design Vision 2000 organisé par Shimano. Il gagna haut la main devant douze concurrents. Malheureusement, il ne fut pas un succès commercial à long terme, et même la production en petites séries ne permit pas à Urban Solutions d'échapper à la faillite.

La résurrection arriva grâce à Sachs, un fabricant de motos basé en Allemagne, qui commercialisa le Tango comme le partenaire idéal de la voiture. Sachs mit ses qualités en avant – revêtement polyuréthane (le rendant lavable) et suspension complète – mais le prix au détail et le poids continuaient à affecter les ventes.

Même avec la reprise de la production par VW, le succès ne fut pas au rendez-vous. Le Tango semblait condamné, et il s'effaça silencieusement.

RIESE & MÜLLER Birdy 10th

JOYEUX ANNIVERSAIRE !

TYPE DE VÉLO
COURSE, PLIANT

PAYS
ALLEMAGNE

DATE
2005

POIDS
10,9 KG

CADRE
ALUMINIUM, 36 CM

DÉRAILLEUR
SHIMANO 105 2 × 9 VITESSES

FREINS
À PATINS TEKTRO RXS

PNEUS
20 POUCES TRINGLE RIGIDE

Markus Riese et Heiko Müller, les créateurs du Birdy 10th prétendent que ce vélo est une légende et qu'on peut l'utiliser comme tout autre vélo. Même ceux qui n'accordent aucun intérêt à la première prétention pourront s'intéresser à la seconde, en particulier en ce qui concerne le modèle du 10e anniversaire de la marque.

Avec des roues de 20 pouces, le Birdy 10th passe des obstacles avec plus d'assurance que d'autres modèles 18 pouces. La série anniversaire fut limitée à 100 exemplaires. Il y avait le choix entre un cintre droit ou route mais les -composants des vélos Shimano 105 étaient standard.

Les vélos Birdy existent depuis 1995. Ces modifications sont apparues pour la première fois sur le modèle présenté ici, même si Birdy avait fait l'objet de plusieurs améliorations durant la décennie précédente.

Cette brillante stratégie a subtilement gagné l'affection des fans. Riese et Müller ont eu un grand succès au Japon en particulier, exploit qui n'avait été réussi que par le Brompton Titanium S2L-X (voir page 236).

Par ailleurs, Birdy changea de design en 2006 et remporta immédiatement le prix iF Product Design.

BROMPTON
Titanium S2L-X
PLUS RAPIDE, PLUS PETIT ET PLUS INGÉNIEUX

TYPE DE VÉLO
VILLE, PLIANT

PAYS
ROYAUME-UNI

DATE
2009

POIDS
8,9 KG

CADRE
ACIER VERNI + TITANIUM, 23,8 CM

DÉRAILLEUR
BROMPTON 2 VITESSES (ARRIÈRE)

FREINS
À PATINS BROMPTON

PNEUS
16 POUCES TRINGLE RIGIDE

S'il faut donner le tiercé gagnant des vélos pliants, le Brompton arrive en premier. Il semble impossible pour un vélo de se plier plus vite ou plus petit, et donc plus ingénieusement ; mais Brompton a, c'est vrai, plus de trente ans d'expérience en la matière.

En 1976, Andrew Ritchley s'inspira du Bickerton Portable (voir page 226), mais il voulait mettre l'idée en application plus efficacement. Le mélange est évident entre le Bickerton et le Petit Bi (voir page 216). Dix autres années passèrent avant que la première série de Brompton ne soit produite et alors commença l'histoire d'un succès.

Le Brompton intéressait principalement ceux qui, voyageant en ville et ailleurs, avaient découvert les joies du vélo pliant en complément d'autres formes de transport.

Grâce à sa fourche arrière en titane, son assise et sa fourche, le Brompton S2L-X est le poids plume du catalogue. Avec ses composants (manivelles, guidon, selle et pédales), le modèle présenté ici (numéro 271515/PS6102) ne pèse que 8,9 kg. Une fois plié, il mesure 56,5 × 54,5 × 25 cm et son système à deux vitesses le rend idéal pour la ville.

Les vélos Brompton sont conçus et fabriqués à Londres puis exportés à travers le monde entier – dans de toutes petites boîtes, bien sûr.

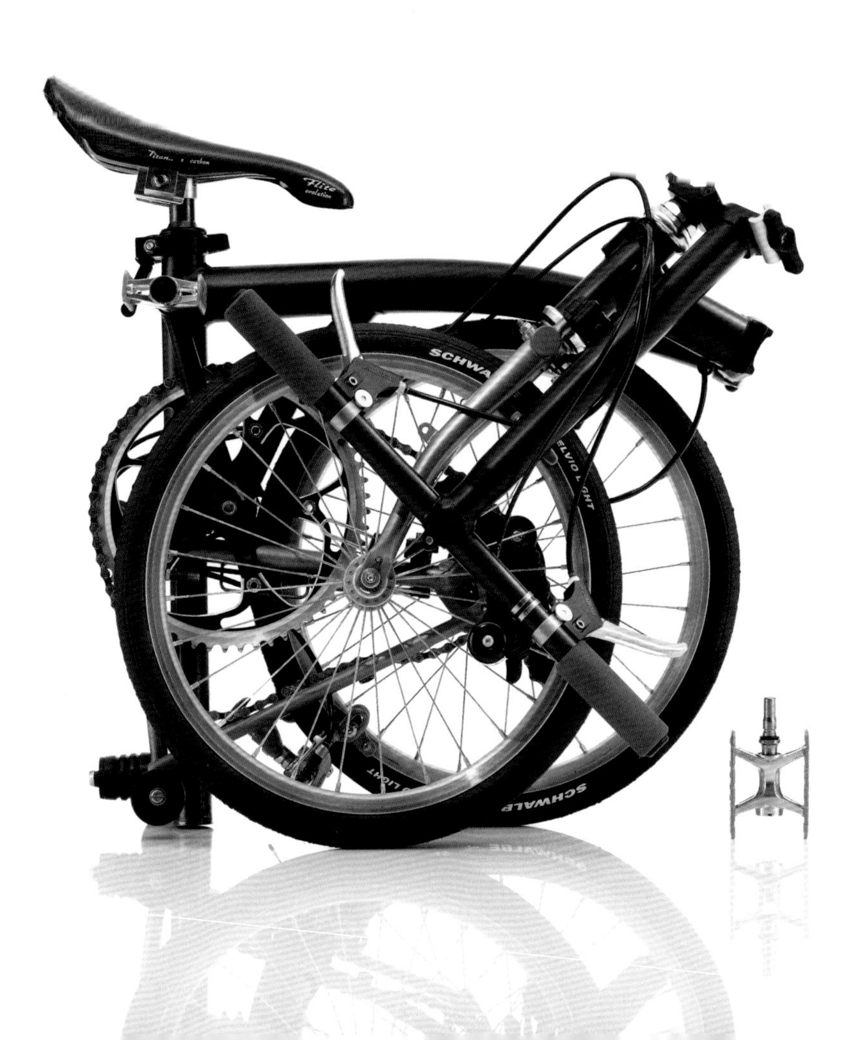

PACIFIC CYCLES
iF Mode
RÉPONDRE À UN BESOIN DE NOTRE TEMPS

TYPE DE VÉLO
VILLE, PLIANT

PAYS
TAÏWAN

DATE
2009

POIDS
14,7 KG

CADRE
ALUMINIUM VERNI, 33 CM

DÉRAILLEUR
SUR AXE DE PÉDALIER (ARRIÈRE), 2 VITESSES

FREINS
À DISQUE WINZIP

PNEUS
26 POUCES TRINGLE RIGIDE

L'idée qu'un vélo pliant associé à un bus, un tramway, un métro ou un taxi soit le mélange idéal en matière de mobilité urbaine est portée par l'iF Mode à l'entrée de l'ère moderne.

Mark Sanders (également responsable du Strida LtD 1, voir page 228) exposa cette conception en 2008 au Salon du vélo de Taipei où l'iF Mode fut lancé comme vélo à transmission par cardan. La transmission ne fonctionnait pas bien avec l'axe du pédalier et ses deux vitesses intégrées que l'on passait avec le talon. Le résultat est que la transmission se fait maintenant par une chaîne normale (complètement carénée pour la protéger du mauvais temps).

Malgré la chaîne, l'iF Mode ne peut être considéré comme une conception ordinaire. Il a un aspect futuriste et les roues de 26 pouces reposent l'une contre l'autre une fois le vélo plié. Sous ses formes pliée et dépliée, le vélo ressemble à un objet du futur, à tel point que 20 iF Modes ont figuré dans le film romantique allemand The Days to Come, dont l'action se passe en 2020.

Par ailleurs, les lettres « iF » dans le nom du vélo sont l'acronyme d'Integrated Folding mais ne font aucune référence au prix iF Product Design (où iF veut dire International Forum). Les deux sont pourtant liés puisque l'iF Mode a remporté ce prix en 2009 alors que l'année précédente il avait remporté le prix Eurobike.

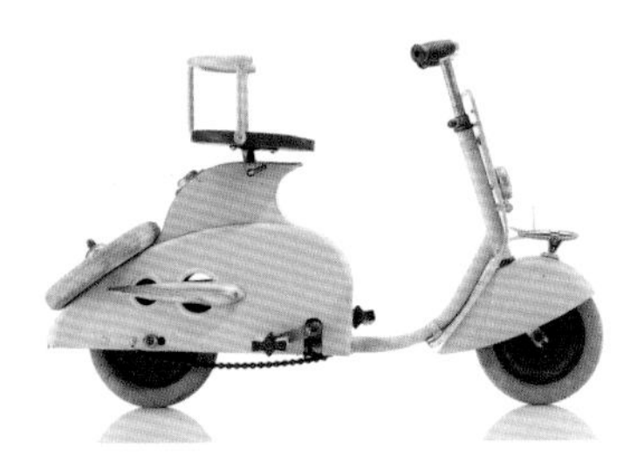

MFA « Lambretta »
COMME LES GRANDS

TYPE DE VÉLO
ENFANTS

PAYS
FRANCE

DATE
VERS 1960

POIDS
10,3 KG

CADRE
ACIER VERNI, 26 CM

MOYEU
À PIGNON FIXE

PNEUS
12 POUCES PLEINS

Comme les adultes, si le vaste monde veut nouer le dialogue avec l'enfance, il doit alors parfois se faire petit. Ce vélo déguisé en scooter était le « véhicule » parfait pour capter l'imagination d'un enfant. Le vélo-scooter MFA s'adressait à des enfants dont les aspirations étaient plus grandes que leur sens de l'équilibre.

Même si le vélo-scooter portait l'inscription MFA (Manufacture française d'ameublement – une fabrique de jouets pour enfants), on le surnomma de façon plus évidente « Lambretta », comme « Vespa ». Quel que fût son nom, c'était le seul vélo sur lequel il convenait de faire des bruits de moteur en le conduisant.

Avec ce signe adressé au monde des adultes, le jeune pilote avait de quoi poursuivre sa route. Le vélo de la compagnie Biemme fut vendu comme mascotte d'une Vespa ou d'une Lambretta des années 1960.

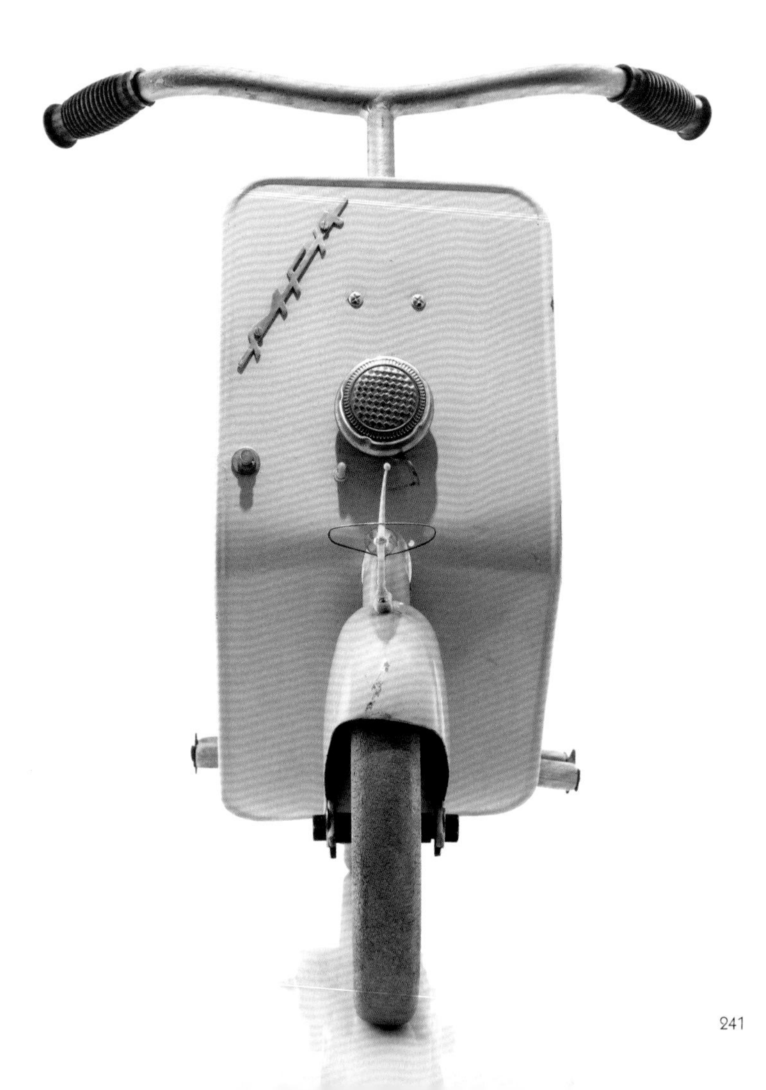

DUSIKA Dusika

LA TROTTINETTE QUI GRANDIT AVEC SON PROPRIÉTAIRE

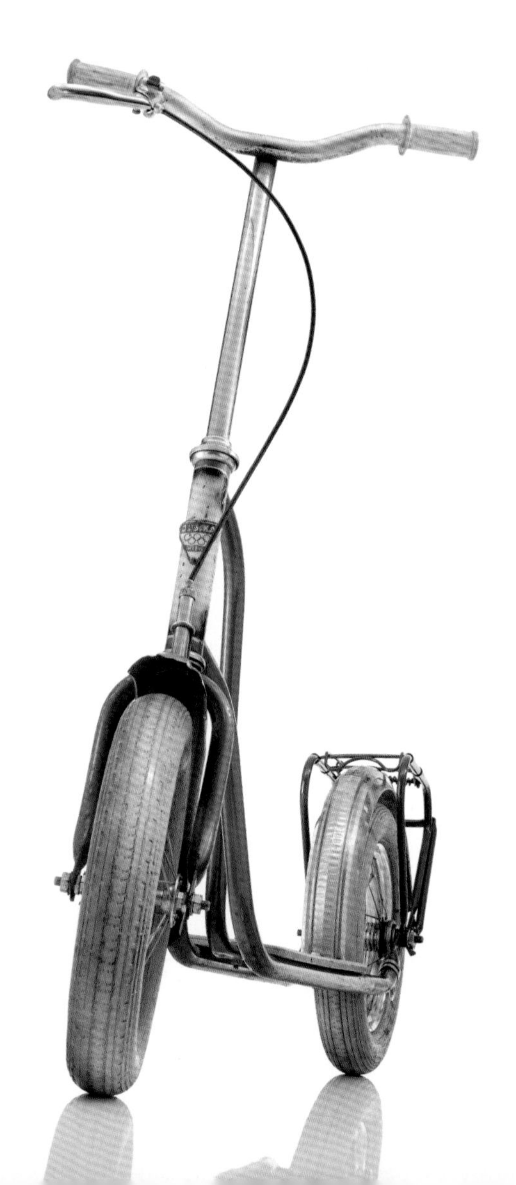

TYPE DE VÉLO
ENFANTS, ORIGINAL

PAYS
AUTRICHE

DATE
VERS 1960

POIDS
10,5 KG

CADRE
ACIER VERNI, 39 CM

MOYEU
À PIGNON FIXE

FREINS
À TAMBOUR (AVANT), RÉTROPÉDALAGE (ARRIÈRE)

PNEUS
12 POUCES TRINGLE RIGIDE

Le vélo Dusika a été conçu pour évoluer avec son jeune propriétaire. Il pouvait être utilisé comme trottinette autopropulsée par de jeunes enfants et plus tard, une fois que le sens de l'équilibre de l'enfant se serait amélioré, il était transformé en vélo.

Le tube vertical, la selle, la manivelle et les haubans sont tous montés sur le cadre en une seule unité, la chaîne se chargeant de la traction. Le vélo était alors prêt à -l'utilisation. Naturellement, des stabilisateurs pouvaient également être ajoutés.

Le versatile vélo-trottinette Dusika était le cadeau idéal pour les enfants, tout en soulageant théoriquement le compte en banque des parents. Cependant, la trottinette et ses pédales améliorées étaient en fait si coûteuses qu'il revenait moins cher d'acheter une trottinette basique suivie d'un vélo quelques années plus tard.

CARNIELLI Graziella Leopard Tipo Cross

UNE ENDURO SANS MOTEUR

TYPE DE VÉLO
ENFANTS

PAYS
ITALIE

DATE
VERS 1976

POIDS
19,5 KG

CADRE
ACIER VERNI, 39 CM

DÉRAILLEUR
HURET 3 VITESSES

FREINS
À TAMBOURS

PNEUS
20 POUCES TRINGLE RIGIDE

Connues sous les noms de « choppers » ou vélos « bonanza », ces bicyclettes étaient les véhicules les plus « cool » pour les adolescents de la fin des années 1970.

Plus encore que le vélo-scooter Lambretta de MFA (page 240), le Leopard Tipo Cross de Carnielli aiguisait l'appétit des jeunes pour la moto (le vélo montré ici porte le numéro 552152).

Ressemblant faussement à une moto de cross (à l'exception du siège banane), le Tipo Cross avait des suspensions arrière et avant – chose rare pour un chopper de cette époque.

Schwinn Orange Krate ou Apple Krate lancèrent la mode de ces vélos. Ils étaient arrivés des États-Unis avec le film Easy Rider, et Raleigh Chopper au Royaume-Uni surfa sur la même vague.

À cette époque, la compagnie -Carnielli, fondée en 1908, avait plus de 60 ans d'expérience dans la construction de cycles. Elle lança très vite la construction du Leopard Tipo Cross.

Par opposition à d'autres vélos comme le Chopper, la caractéristique qui préparait le mieux les utilisateurs du Tipo Cross au vrai cyclisme était son poids de 19,5 kg. Aucun vélo n'offre un tel entraînement à l'âge adulte.

CYCLES GITANE « Enfant » & Profil Aero TT

TEL PÈRE TEL FILS

CYCLES GITANE « ENFANT » (À GAUCHE)

TYPE DE VÉLO
COURSE, ENFANTS

PAYS
FRANCE

DATE
1982

POIDS
9,6 KG

CADRE
ACIER VERNI, 39,2 CM

DÉRAILLEUR
HURET 3 VITESSES (ARRIÈRE)

FREINS
À PATINS WEINMANN TYPE 730

PNEUS
TUBULAIRES 20 POUCES

CYCLES GITANE PROFIL AERO TT

TYPE DE VÉLO
COURSE

PAYS
FRANCE

DATE
1981

POIDS
9,3 KG

CADRE
ACIER VERNI, 58 CM

DÉRAILLEUR
SHIMANO DURA-ACE 2 × 6 VITESSES

FREINS
À PATINS SHIMANO DURA-ACE

PNEUS
TUBULAIRES 27 POUCES

DURA-ACE

Les Cycles Gitane ont été fondés par Marcel Brunelière en 1925 à Machecoul, même si le nom de la compagnie ne fut confirmé qu'en 1930. Ce n'est que dans les années 1950 et au début des années 1960 que Gitane fut immortalisé.

Jacques Anquetil remporta trois victoires sur le Tour de France avec un Gitane. Depuis 1976, Gitane fait partie de Renault, Bernard Hinault, Laurent Fignon et Greg LeMond figurant à jamais dans les annales. Malheureusement, Gitane sponsorisa sa dernière équipe en 2003.

Dans les années 1970, Bernard Hinault et Gitane faisaient des expériences sur des vélos de course aérodynamiques. Des années plus tard, les résultats furent mis en pratique sur route.

Seul le tube horizontal est arrondi sur le Gitane Profil Aero TT présenté ici (numéro 6229081). Tous les autres tubes ont une forme en goutte d'eau – forme la plus aérodynamique possible. Le vélo n'a jamais atteint son coefficient de pénétration dans l'air de 0,04 pour la simple raison qu'il y a toujours un cycliste dessus lorsqu'il est en mouvement. Une autre critique qui a été lancée contre la version pour enfants (numéro 82056 montré ici) est qu'il ne ressemble pas à un vélo pour enfants mais à une version rétrécie du vélo de course – ce qui bien sûr, avec tous les éléments coûteux qui le composent, est exactement ce qu'il est.

CINELLI Laser
VENT D'ACIER

TYPE DE VÉLO
COURSE

PAYS
ITALIE

DATE
VERS 1985

POIDS
9,5 KG

CADRE
ACIER VERNI, 55 CM

DÉRAILLEUR
CAMPAGNOLO C RECORD 2 × 7 VITESSES

FREINS
À PATINS CAMPAGNOLO SUPER RECORD

PNEUS
TUBULAIRES 27 POUCES

S'il ne fallait choisir qu'un seul modèle de vélo pour illustrer la nouvelle vague aérodynamique en matière de construction, alors le Cinelli Laser serait l'élu. Il a marqué le début d'une nouvelle façon de penser. Le Laser semblait tout en courbes, mais en dessous, il était dur et résistant.

Les tubes étaient en forme de goutte d'eau et sur les versions les plus radicales les composants n'étaient pas exposés au vent mais abrités. Chaque détail relève d'une extrême précision et de la plus grande qualité de fabrication. Un Cinelli Laser (ici le numéro 029) est une œuvre d'art qui pouvait être montée.

Cino Cinelli fonda sa compagnie en 1947 et devint légendaire pour ses idées innovantes en matière de cyclisme. Lorsqu'il prit sa retraite en 1978, une nouvelle ère commençait chez Cinelli.

Les frères Colombo (Colombus Tubing) rachetèrent l'entreprise et Andrea Cinelli, le fils du fondateur, prit la relève. On changea le logo et Gianna Gabella, le directeur technique, se vit octroyer tous les moyens pour développer le projet Laser.

Le but pour ce modèle était de battre des records. Un prototype fut montré en 1979 et les premiers modèles produits furent utilisés aux jeux panaméricains de 1983 à Caracas. Peu après, le Laser décrochait une série de victoires, laissant ses concurrents loin derrière.

On fabriqua même des tandems et des versions futuristes du modèle. Parmi elles, le Revoluzione Pista, qui n'avait pas de tige de selle. Cinelli produisit aussi des versions route commercialisables.

À la fin des années 1980, Andrea Cinelli fit de ses idées une réalité en créant son Cinetica Giotto (voir page 74).

cinelli
Laser
029

cinelli

CORIMA Cougar

EN AVANT LES RECORDS !

TYPE DE VÉLO
COURSE, À PIGNON FIXE

PAYS
FRANCE

DATE
1991

POIDS
8,9 KG

CADRE
FIBRE DE CARBONE VERNIE, 56 CM

MOYEU
À PIGNON FIXE

PNEUS
TUBULAIRES 27 POUCES

Le Corima Cougar était un vélo de piste puissant et musclé avec des ambitions extraordinairement élevées. Il fut produit en France pour les jeux Olympiques de Barcelone en 1992.

Le cadre monocoque était en fibre de carbone (un matériau plus léger et plus stable que les matériaux habituels, très important pour les vélos de piste). Chacun de ces vélos d'exception était fait sur mesure pour l'athlète alors que les cadres en carbone de la concurrence n'étaient proposés qu'en certaines tailles. Environ 1 000 cadres Corima Cougar ont été produits au total, dont un fut utilisé par le cycliste britannique Chris Boardman lorsqu'il battit le record du monde de l'heure en 1993.

Un penchant pour le carbone marque l'histoire entière de la compagnie Corima, fondée par Pierre Martin et Jean-Marie Riffard en 1973. Le nom de la compagnie est l'anagramme raccourcie de Coopération Riffard Martin. À partir de 1988, Pierre Martin et Jean-Marie Riffard se sont concentrés sur le développement de pièces en carbone et, très vite, ils eurent tout ce qu'il fallait pour produire un vélo à la fois léger et cher, en allant des roues pleines à toute la gamme de produits à base de carbone.

BIANCHI C-4 Project

QUAND LE FUTUR ÉTAIT ENCORE JEUNE

TYPE DE VÉLO
COURSE

PAYS
ITALIE

DATE
VERS 1988

POIDS
11,4 KG

CADRE
FIBRE DE CARBONE VERNIE, 57,5 CM

DÉRAILLEUR
SHIMANO DURA-ACE 2 × 8 VITESSES

FREINS
À PATINS SHIMANO DURA-ACE

PNEUS
TUBULAIRES 26 POUCES (AVANT), 27 POUCES (ARRIÈRE)

La forme du modèle Bianchi C-4 Project avec son cadre carbone ergonomique tourné vers le futur a quelque chose de comiquement athlétique.

Le vélo était le fruit de la collaboration entre deux compagnies italiennes : F.I.V. Edoardo Bianchi S.p.A, fondée en 1885, la plus vieille entreprise de vélos encore en existence, et toujours une légende ; et C-4, fondée plus de cent ans après par Marco Bonfanti, pour réaliser ses rêves de design.

Le succès ne tarda pas, les cadres C-4 faisant leurs débuts en compétition au printemps 1987, quand l'équipe Bianchi prit part au contre-la-montre du Giro équipée de cadres conçus et produits par C-4. Ces cadres avaient des années d'avance sur leur temps : monocoque en carbone, créée selon la plus récente technologie NJC (No Joint Construction), pas de tube vertical, tige de selle ajustable à toutes les hauteurs sur les trois tailles de cadres et la fourche monocoque en carbone. Plus tard, l'idée prit des chemins de traverse, comme le montre le C-4 (voir page 58).

Les Bianchi C-4 Project étaient d'ordinaire équipés de composants Campagnolo Record, bien que ceux du modèle présenté soient équipés de Shimano Dura-Ace, largement utilisés de nos jours sur les vélos de course. Shimano apparut sur le marché au début des années 1970. Ces composants imitèrent d'abord ceux de Campagnolo mais ils acquirent vite une solide réputation pour leur côté innovant. Shimano et Campagnolo continuent à se livrer une concurrence féroce.

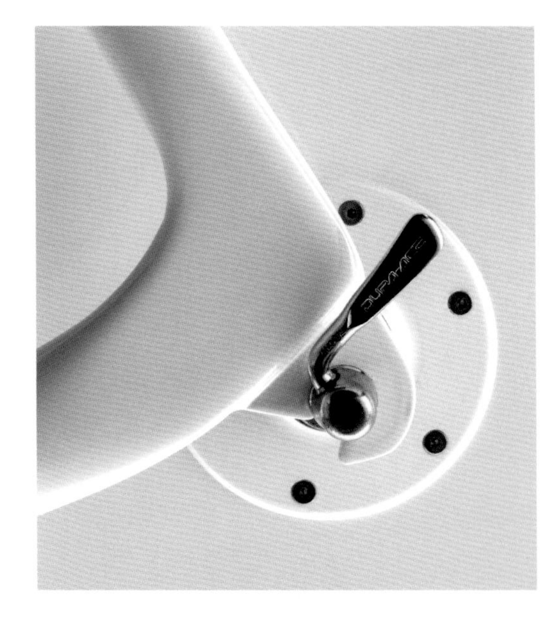

PUCH Mistral Ultima

UNE LÉGENDE OCCASIONNELLE

TYPE DE VÉLO
COURSE

PAYS
AUTRICHE

DATE
1982

POIDS
10,5 KG

CADRE
ACIER VERNI, 56 CM

DÉRAILLEUR
CAMPAGNOLO SUPER RECORD 2 × 6 VITESSES

FREINS
À PATINS CAMPAGNOLO SUPER RECORD

PNEUS
TUBULAIRES 27 POUCES

Les experts en marketing ont renommé la région autrichienne de Styria « le cœur vert de l'Autriche », d'où la couleur verte du modèle phare de la firme, anciennement appelée Styrian Puch.

La Mistral Ultima était la version la plus noble de la série Mistral, les composants du Campagnolo Super Record étant de premier choix et les tubes Reynolds-531 véritablement cultes. La version de cette série avait une selle Cinelli en cuir Rawhide qui recouvrait également le guidon, un ensemble prestigieux, signe d'une fabrication des plus coûteuses pour l'époque. Afin que les cyclistes se distinguent suffisamment en tant qu'ambassadeurs de la marque, Puch monta une équipe professionnelle. Ce qui en 1980 avait démarré comme Puch-Sem-Campagnolo avec Didi Thurau et Rudi Altig, prit en 1981 le nom de Puch-Wolber-Campagnolo avec, par exemple, la participation de Klaus-Peter Thaler. Jusqu'en 1985, les équipes professionnelles Puch ont existé sous différents noms, mais l'entreprise est très vite devenue l'ombre d'elle-même. En 1987, la branche cycle de Puch fut vendue à la société Piaggio ; quelques années plus tard, elle appartenait au producteur d'équipements de sport suédois Monark, partenaire du groupe Cycleurope. Aujourd'hui, Puch est de retour en Autriche : un importateur de scooters Vespa appelé Faber a acquis les droits de fabrication et une gamme de produits est en cours de développement, dont un vélo électrique.

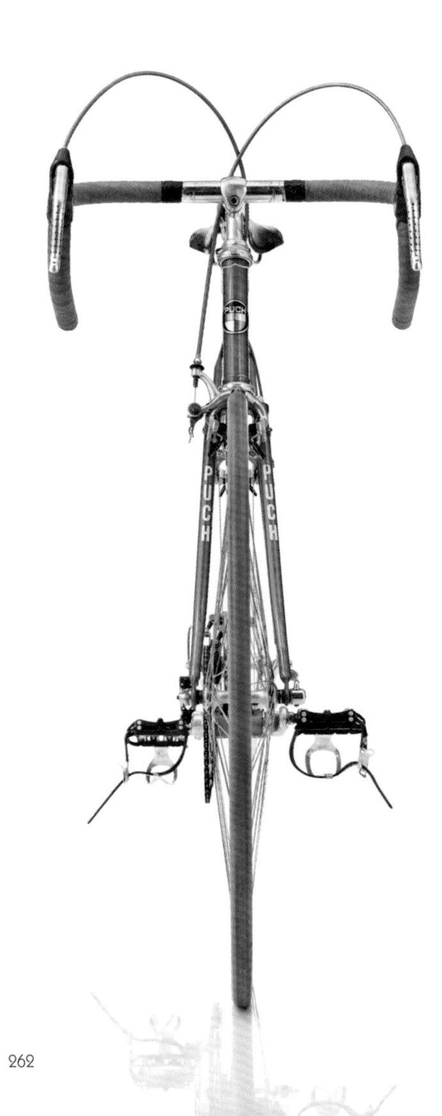
PUCH
PUCH
PUCH

PUCH
PUCH
CAMPAGNOLO
CAMPAGNOLO
BREV.INT.

PUCH
PUCH

MOULTON Speed S

ACIER INOXYDABLE VÉLOCE

TYPE DE VÉLO
COURSE

PAYS
ROYAUME-UNI

DATE
1997

POIDS
10,3 KG

CADRE
ACIER INOXYDABLE, 48 CM

DÉRAILLEUR
SHIMANO ULTEGRA 2 × 9 VITESSES

FREINS
À PATINS SHIMANO

PNEUS
TRINGLE RIGIDE 17 POUCES

de course racé, avec son brillant système de suspension en caoutchouc, peut être utilisé n'importe où grâce à un rapport de transmission adapté autant aux terrains plats qu'aux sentiers de montagne. Les passionnés pourront sans doute profiter de nombreuses heures passées à polir leur vélo comme peuvent le faire le samedi matin les propriétaires de voiture.

Le Moulton Speed S fut produit en petite série au début des années 1990 et vendu au prix d'une voiture d'occasion de taille moyenne.

L'acier inoxydable est plus lourd que l'acier ordinaire, lui-même plus lourd que l'aluminium, le carbone ou le titane, mais sa surface élégante a attiré l'attention de l'inventeur britannique Alex Moulton en tant que matière première pour des cadres de qualité supérieure. Une technique de brasage fort propre à l'aérospatiale fut utilisée pour lier les tubes fins et une ingénieuse méthode de construction permit une certaine légèreté, comme en témoignent les 11 kg du Moulton Speed S. Ce vélo

FES

FAÇON BLOC DE L'EST

TYPE DE VÉLO
COURSE

PAYS
ALLEMAGNE/RDA

DATE
1987

POIDS
9,9 KG

CADRE
MONOCOQUE EN CARBONE, 55 CM

DÉRAILLEUR
SHIMANO DURA ACE 2 × 8 VITESSES

FREINS
À PATINS SHIMANO DURA ACE

PNEUS
TUBULAIRES 27 POUCES

Il peut être difficile d'imaginer cette bicyclette FES dans les rues grises de la RDA, pourtant c'est de là que vient ce vélo de course – et il était, pour ainsi dire, en mission officielle, tout comme les vélos en acier de Textima l'avaient été avant lui. La compagnie de Berlin-Est FES (Forschung und Entwicklung von Sportgeräten, ou Recherche et développement d'équipements sportifs) fut créée pour concevoir de l'équipement adapté aux sportifs du pays. À l'origine, le programme ne concernait que les canoës, les luges de course et les bobsleighs ; les premiers modèles FES pour la route ont été produits en 1987. FES a d'abord développé des roues en carbone pour les vélos de course, puis des cadres complets en utilisant un système très avancé de construction de monocoque, loin des pratiques habituelles occidentales en matière de course de vélos. Les cadres FES, chacun fabriqué pour un cycliste d'élite, n'étaient pas faits pour être vus lors de courses professionnelles étant donné que seules des courses amateurs pouvaient avoir lieu en RDA. Les athlètes ne voyageaient à l'Ouest que pour les jeux Olympiques, pour lesquels ils décrochèrent tout de même 16 médailles. L'équivalent du Tour de France du bloc de l'Est était connu sous le nom de Course de la Paix.

Les composants extrêmement occidentaux de Shimano Dura Ace ne correspondent pas vraiment à l'image, mais étaient curieusement tolérés lors des courses en RDA. Les autorités comptaient sans doute sur le fait que, les vélos défilant à toute allure, il était impossible de lire les étiquettes.

Il n'en est pas de même en ce qui concerne le numéro de dossard. Longtemps après la chute de la RDA, ce dernier est resté fixé sur le cadre fin FES. Le cadre futuriste a survécu à sa version antérieure et FES poursuit encore de nos jours la recherche et le développement.

GUERCIOTTI

L'ITALIE, DE TOUTE ÉVIDENCE

TYPE DE VÉLO
COURSE

PAYS
ITALIE

DATE
1987

POIDS
11 KG

CADRE
ACIER PEINT, 53 CM

DÉRAILLEUR
SHIMANO DURA ACE 2 × 8 VITESSES

FREINS
À PATINS SHIMANO DURA ACE

PNEUS
TRINGLE RIGIDE 28 POUCES

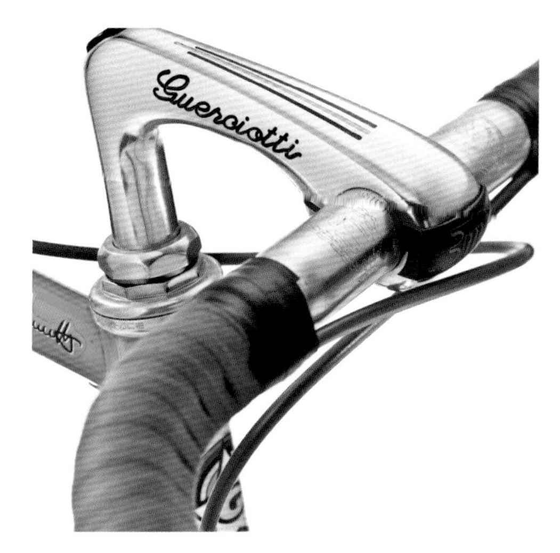

La combinaison des couleurs du drapeau italien sur un cadre de vélo a probablement été utilisée pour la première fois dans les années 1930 par Umberto Dei, et l'idée était trop bonne pour ne pas être copiée par d'autres fabricants. C'est le cas de Gianni Motta et Guerciotti, chez qui le souci du détail est poussé jusqu'aux manchons : les fins composants délicatement gravés sont la preuve de la qualité de la construction du cadre et le même niveau d'artisanat se retrouve dans les finitions du cadre avec un prolongement de la palette de couleurs, mais aussi sur les jantes, le guidon et la selle.

Guerciotti fut fondé en 1964 à Milan par les frères Guerciotti, Paolo et Italo, tous les deux connaisseurs de vélos : Paolo pratiquait le cyclo-cross, Italo la course, et ce fut lui, l'aîné, qui fabriqua les premiers cadres.

Pour l'anecdote, cette jeune société a bénéficié du soutien de Cino Cinelli, qui est aussi une légende aujourd'hui.

ALAN
Record Carbonio
DU NOUVEAU CHEZ LE PIONNIER

TYPE DE VÉLO
COURSE

PAYS
ITALIE

DATE
1987

POIDS
9,4 KG

CADRE
TUBES EN CARBONE, MANCHONS EN ALUMINIUM, 54 CM

DÉRAILLEUR
CAMPAGNOLO CHORUS 2 × 6 VITESSES

FREINS
À PATINS CAMPAGNOLO CHORUS

PNEUS
TRINGLE RIGIDE 28 POUCES

Deux mondes se rencontrent et sont encore aujourd'hui harmonieusement unis. Au milieu des années 1980, Alan, le pionnier de l'aluminium, célèbre depuis 1972 pour le confort de son cadre de course et de cross-country, est entré dans l'ère du carbone. Ce cadre ne prédisait pas l'avenir – les tubes en carbone sont liés à l'aide de manchons en aluminium alors que la nature même du carbone exige les transitions fluides d'un cadre monocoque – et pourtant. Sous le poids, les zones de jonction se séparaient aussi facilement qu'on l'aurait imaginé. Mais la beauté de cette noble combinaison reste convaincante de nos jours, à l'heure où le carbone a largement remplacé l'aluminium dans la construction de vélos de course.

Klaus-Peter Thaler a été champion du monde de cyclo-cross plusieurs fois sur un légendaire cadre en aluminium Alan. Et si le cadre Alan Carbonio est aussi similaire au cadre Colnago Carbitudo (voir page 84), c'est en grande partie dû au fait que ce dernier est également fabriqué par Alan.

LOOK KG 196

DU CARBONE POUR LES GAGNANTS

TYPE DE VÉLO
COURSE

PAYS
FRANCE

DATE
1996

POIDS
9,5 KG

CADRE
MONOCOQUE EN CARBONE, 53 CM

DÉRAILLEUR
SHIMANO DURA ACE 2 × 8 VITESSES

FREINS
À PATINS SHIMANO DURA ACE

PNEUS
TRINGLE RIGIDE 28 POUCES

Spécialisée à l'origine dans les fixations de ski, l'entreprise LOOK est devenue un équipementier cycliste empruntant un chemin de traverse. Les pédales automatiques n'étaient à la base qu'un produit dérivé de leur activité principale, mais en 1986, une année après la victoire du Tour de France par Bernard Hinault avec des pédales LOOK, la marque décida de créer son propre vélo. Greg LeMond, le grand adversaire de Hinault et son coéquipier en 1985, fut à son tour vainqueur en 1986 avec un vélo de course LOOK (la première victoire du Tour de France sur un cadre en carbone).

Dix ans plus tard, LOOK produit cette machine qui défie le temps, dont le cadre, les haubans et les bases rappellent la forme de certains muscles. Le train avant évoque les potences des bicyclettes des années 1880. Le reste de la conception se caractérise par des fantaisies futuristes ; seule la roue arrière peut souffrir des critiques : lorsque le vent est latéral, le cycliste éprouve des difficultés.

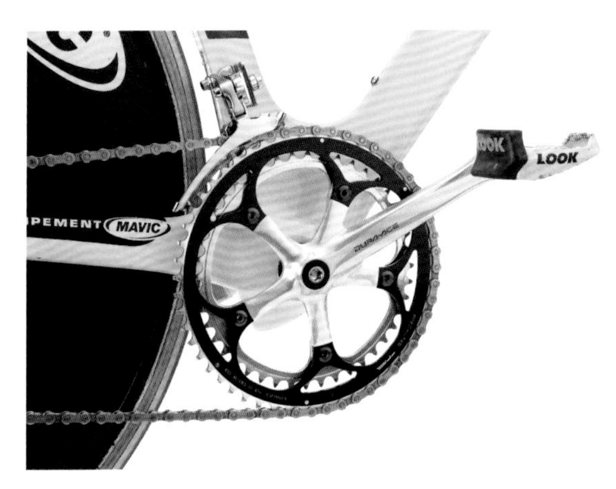

TEXTIMA Time Trial

DESCENDRE POUR MIEUX REMONTER

TYPE DE VÉLO
COURSE

PAYS
ALLEMAGNE/RDA

DATE
1984

POIDS
8,6 KG

CADRE
ACIER PEINT, 54 CM

DÉRAILLEUR
CAMPAGNOLO SUPER RECORD 2 × 6 VITESSES

FREINS
À PATINS TEXTIMA (AVANT), CAMPAGNOLO RECORD (ARRIÈRE)

PNEUS
TRINGLE RIGIDE 26 POUCES

Textima était le nom du groupe industriel d'état de la RDA qui produisait des machines textiles. Pourtant, le chemin qui mena à cet excellent vélo de contre-la-montre ne fut pas long, compte tenu du contexte historique. Même si l'entreprise de cycles Diamant appartenait au groupe Textima qui produisait en grande partie des métiers à tricoter, le service qui développa les vélos de course pour l'élite des sportifs de la RDA faisait partie du département de développement central et n'avait aucun lien avec les vélos Diamant.

Ces vélos de course ne portaient pas le nom de Textima, et à vrai dire ils n'en portaient aucun. Il était rare de trouver un nom sur les vélos à l'époque, mais aujourd'hui les collectionneurs s'accordent à dire que les Textima sont les vélos de course produits pour l'équipe nationale de la RDA entre 1975 et 1988 dans divers ateliers à Leipzig et Chemnitz.

Ces vélos n'ont jamais été commercialisés : chacun d'entre eux a été soudé et assemblé spécifiquement pour un cycliste en particulier. Les vélos de course sur route étaient bleus, ceux de piste étaient argentés et la technologie employée était une des meilleures au monde : rayons profilés, jantes en magnésium particulièrement solides et légères, bases extrêmement courtes, guidon fait sur-mesure, tubes aérodynamiques ovales ou en forme de goutte et, bien sûr, le frein avant spécialement conçu et placé derrière la fourche, à l'abri du courant d'air. Vers la fin de la RDA, les technologies mises à l'œuvre par Textima ont été supplantées par FES et ses créations en carbone ; les cyclistes d'élite se fournissaient alors en équipements de sport à Berlin-Est.

MOSER
Hour Record Replica
COUCHÉ SUR LE GUIDON

TYPE DE VÉLO
À PIGNON FIXE, COURSE

PAYS
ITALIE

DATE
1984

POIDS
9,9 KG

CADRE
ACIER CHROMÉ, 54 CM

DÉRAILLEUR
AUCUN

FREINS
AUCUNS

PNEUS
TUBULAIRES 27 POUCES

Après la fin de leur carrière, de nombreux cyclistes se sont reconvertis dans la fabrication de vélos. Dans le cas de Francesco Moser, ces deux phases se sont chevauchées, ce qui lui a permis de gagner des courses sur des vélos portant son propre nom et même de battre des records. En 1984 à Mexico, Francesco Moser s'est mis au défi de battre le record de l'heure invaincu depuis douze ans détenu par Eddy Merckx ; peu de temps après il l'explosa avec 50,808 km en une heure. Insatiable, Moser améliora sa performance quatre jours après avec un nouveau record de l'heure qui resta invaincu pendant neuf ans.

Après ce record du monde, le cycliste autrichien Bernhard Rassinger, champion national sur route au Tour d'Autriche et médaillé de bronze aux Championnats du monde de cyclisme sur route à Villach, commanda un vélo fabriqué avec les caractéristiques exactes auprès de Francesco Moser en personne. C'est ce modèle qui est ici présenté. Le record de Moser de 51,151 km/h y figure déjà, gravé sur le guidon 3ttt.

FAGGIN

LA PLUS HAUTE FORME D'ART

TYPE DE VÉLO
À PIGNON FIXE, COURSE

PAYS
ITALIE

DATE
1986

POIDS
8,9 KG

CADRE
ACIER PEINT, 52 CM

DÉRAILLEUR
AUCUN

FREINS
AUCUNS

PNEUS
TUBULAIRES 27 POUCES

Faggin a commencé à fabriquer des bicyclettes en 1945 et peu de choses ont changé depuis. Les cadres Faggin sont toujours considérés comme des œuvres d'art, montés à la main, vérifiés et peaufinés jusqu'à ce que chaque détail soit parfait. Au cours des années, différents matériaux ont été utilisés pour la fabrication des cadres suivant les modes et les avancées technologiques. Il existe aujourd'hui des cadres Faggin en carbone, mais l'acier, matériau classique dans la fabrication de cadres, n'a jamais été complètement écarté en faveur des nouvelles technologies. Aujourd'hui encore sont disponibles deux vélos de course, un vélo à pignon fixe et un vélo de tourisme avec des cadres classiques en acier. Le vélo de piste de Faggin illustre parfaitement le degré d'attention donné à chaque petit composant : les manchons sont faits avec un grand sens du détail (il y en a même deux là où le tube de selle et le tube horizontal se rencontrent) et la potence est gravée.

ALEX SINGER

DIEU EXISTE !

TYPE DE VÉLO
CYCLOTOURISME

PAYS
FRANCE

DATE
1947

POIDS
10,6 KG

CADRE
ACIER PEINT, 57 CM

DÉRAILLEUR
CYCLO 2 × 4 VITESSES

FREINS
À ÉTRIERS, TIRAGE CENTRAL SINGER

PNEUS
TRINGLE RIGIDE 26 POUCES

À une époque où, dans de nombreux pays, les vélos de tourisme étaient encore lourds et peu commodes, la France perfectionnait les constructions légères. À partir de la moitié des années 1930, les fabricants de cadre se lançaient dans des randonnées cyclistes afin de voir qui construirait le vélo le plus léger, tout en étant le plus robuste. Réduire le poids ne suffisait pas, car après tout, le cycliste devait atteindre son objectif le plus rapidement possible, et ce avec sa charge.

Avec René Herse, Alex Singer est aujourd'hui vu comme le saint patron de la fabrication de cadres français et ce vélo prouve bien pourquoi. Chaque fibre témoigne d'une attention dévouée à l'élégance des détails. Deux vis fines sont plus légères qu'une épaisse, c'est donc ainsi que la selle et le cadre sont délicatement joints ; le dérailleur arrière est relié à quatre tubes ultrafins soudés au cadre,

le dérailleur avant n'est qu'une silhouette formée par de fins fils métalliques et les freins délicats peuvent ralentir même un vélo bien chargé.

Suite à la grave maladie d'Alex Singer, ses neveux, Roland et Ernest Csuka, ont repris l'entreprise en 1964. Ils l'ont gérée ensemble jusqu'à la mort de Roland en 1993, ce qui laissa Ernest seul à la tête de Singer jusqu'en 2009. Aujourd'hui, c'est Olivier, le fils d'Ernest, qui prolonge cette lignée. Ernest n'était pas qu'un excellent fabricant de vélos : il a aussi remporté deux étapes du Tour de France Cyclotouriste en 1950 sur un Singer Randonneur. Les étapes de ce Tour étaient les mêmes que celles des coureurs professionnels ; les randonneurs étaient les premiers à passer devant les spectateurs et, dans la catégorie des cyclosportifs, les derniers 50 km étaient une course contre-la-montre et entre eux-mêmes.

KETTLER ALU-RAD Strato

UNE GOUTTE D'EAU EN ALUMINIUM

TYPE DE VÉLO
COURSE

PAYS
ALLEMAGNE

DATE
1982

POIDS
10,9 KG

CADRE
ALUMINIUM, 57 CM

DÉRAILLEUR
SHIMANO 600 AX 2 × 6 VITESSES

FREINS
À ÉTRIERS, TIRAGE CENTRAL SHIMANO 600 AX

PNEUS
TUBULAIRES 27 POUCES

Kettler a rendu les cadres en aluminium plus abordables financièrement et le résultat est clairement visible dans la plupart de leurs vélos. Là où l'on se serait attendu à trouver de l'aluminium poli, Kettler se contentait de peindre ses cadres en argenté sans plus d'attention accordée aux détails. Néanmoins, l'aérodynamique a toujours été une priorité : les croisements des tubes qui composent ce cadre sont arrondis et même la tête de la fourche est légèrement profilée, tout en gardant une solidité caractéristique.

Toutefois, les composantes Shimano 600 AX sont gracieuses et élégantes, chaque détail revêt la précision de fabrication pour laquelle Shimano a toujours été connu. Le jeu de pédalier surdimensionné est placé au-dessus du boîtier de pédalier de façon à prolonger la manivelle ; les freins sont fabuleusement aérodynamiques, tout comme la tige de selle avec son verrouillage interne.

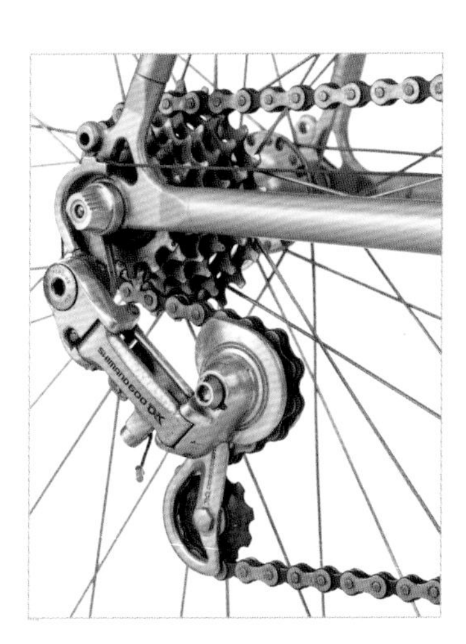

CESARE M
LA MARQUE DE LA QUALITÉ

TYPE DE VÉLO
COURSE

PAYS
ITALIE

DATE
1989

POIDS
9,9 KG

CADRE
ACIER CHROMÉ, 52 CM

DÉRAILLEUR
CAMPAGNOLO RECORD 2 × 8 VITESSES

FREINS
À ÉTRIERS, TIRAGE CENTRAL CAMPAGNOLO DELTA

PNEUS
TRINGLE RIGIDE 28 POUCES

Bien avant l'ère d'Internet, les pièces de vélos pouvaient être commandées par la poste et le costaud catalogue de Brügelmann était la bible en la matière. L'entreprise allemande de livraison postale existe encore aujourd'hui, mais sa marque maison Cesare M survit uniquement grâce à de fines fabrications de vélos de course tels que celui-ci. La façon dont le câble du frein arrière suit le tube supérieur est représentative de l'attention au détail de la maison ; la jonction entre les haubans et le collier de selle est magnifique, tout comme les freins Campagnolo Delta assortis aux roues Shamal. En réalité, la construction légère mena à des jantes si fines qu'elles se déformaient en cas de freinage d'urgence. Les Deltas ont donc été choisis parce qu'ils ne pouvaient pas générer assez de friction pour causer des dommages.

Campagnolo
SHAMAL

Campagnolo
Campagnolo
RECORD
TITANIUM

BIANCHI Rekord 746

LA COULEUR DE LA CLASSE

TYPE DE VÉLO
COURSE

PAYS
ITALIE

DATE
1980

POIDS
12,4 KG

CADRE
ACIER PEINT, 58 CM

DÉRAILLEUR
CAMPAGNOLO NUOVO RECORD 2 × 5 VITESSES

FREINS
À PATINS GALLI

PNEUS
TUBULAIRES 27 POUCES

La couleur qui est aujourd'hui devenue synonyme de cette marque est souvent appelée le vert Bianchi, mais son nom officiel, céleste, a plus de classe et correspond bien à ce vélo rare. La raison pour laquelle cette couleur est devenue caractéristique des cadres Bianchi est ancienne et sans réponse définitive. Il existe plusieurs explications, mais une seule peut être la bonne. En voici quelques-unes : Edoardo Bianchi a choisi la couleur céleste en l'honneur de la reine d'Italie Marguerite de Savoie, faisant écho à la couleur de ses yeux ; la nuance était un hommage au ciel de Milan ; il y a eu une erreur au moment de mélanger les couleurs avant le Giro, mais pas assez de temps pour repeindre les cadres. Dans tous les cas, l'affirmation selon laquelle cette couleur a été créée en mélangeant les peintures bleues et vertes restantes après la Seconde Guerre mondiale est facilement rejetée étant donné que Bianchi utilisait déjà la nuance céleste à la fin des années 1890. La théorie la plus probable est peut-être que Bianchi souhaitait voir ses coureurs avec une couleur que personne d'autre ne porterait sur la ligne de départ.

À ce jour, Bianchi est au cyclisme ce que Ferrari est au sport automobile : une légende de la haute vitesse. Cependant, tous ses vélos de route ne sont pas aussi merveilleusement élégants que ce 746. Afin de rendre l'esprit de cette marque plus accessible financièrement, Bianchi a considérablement réduit le prix du modèle et les fans se sont jetés dessus.

CAMPAGNOLO
PATENT CAMPAGNOLO
Vittoria
FORMULA 1

Bianchi
Bianchi

GIOS Aerodynamic

DU HAUT DE GAMME

TYPE DE VÉLO
COURSE

PAYS
ITALIE

DATE
1981

POIDS
9,4 KG

CADRE
ACIER PEINT, 55 CM

DÉRAILLEUR
CAMPAGNOLO RECORD 2 × 5 VITESSES

FREINS
À PATINS DIA COMPE

PNEUS
TUBULAIRES 27 POUCES

Tout comme de nombreux autres cyclistes, Tolmino Gios commença à produire des vélos peu de temps après la fin de sa carrière en tant que cycliste professionnel – dans son cas en 1948 – et la marque est restée dans la famille jusqu'à aujourd'hui, avec son fils Alfredo à sa tête.

Mais c'est grâce au chewing-gum que les vélos de course Gios sont devenus légendaires. Si Giorgio Perfetti (qui pourrait mal tourner avec un nom pareil ?), propriétaire de la marque italienne de chewing-gum Brooklyn, n'avait pas commandé une centaine de Gios Easy Rider à l'occasion du Milan Cycling Show de 1971, il n'aurait peut-être pas monté une équipe professionnelle de cyclisme et les Gios auraient pu être oubliés. Gios fournit l'équipe avec des vélos peints à l'image de leurs maillots rayés et étoilés, créant ainsi un visuel percutant. Depuis, tous les vélos de course Gios arborent ce bleu simple, aujourd'hui connu comme le bleu Gios, et ont porté des champions tels que Roger De Vlaeminck et Didi Thurau. Aujourd'hui, les vélos de course Gios les plus célèbres sont le Professional et celui-ci, l'Aerodynamic.

Depuis 2011, un modèle avec un cadre fait à partir de tubes très fins en acier et manchons chromés est à nouveau disponible, il s'agit du Gios Compact Pro, une légende revisitée qui fait sensation sur le marché rétro grandissant.

COLNAGO
Oval CX
LA RÉSISTANCE EST FUTILE

TYPE DE VÉLO
COURSE

PAYS
ITALIE

DATE
1983

POIDS
9,9 KG

CADRE
ACIER PEINT, 57 CM

DÉRAILLEUR
CAMPAGNOLO SUPER RECORD 2 × 6 VITESSES

FREINS
À PATINS CAMPAGNOLO COBALTO

PNEUS
TRINGLE RIGIDE 28 POUCES

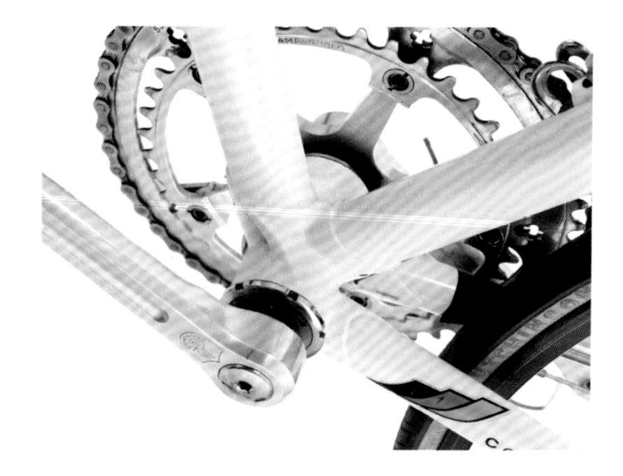

Personne ne peut être aussi aérodynamique qu'une goutte d'eau, mais c'est à l'aide de manchons en forme de goutte qu'un vélo de route en est le plus proche. Bien que la résistance à l'air reste le point faible majeur du cycliste (loin devant le cadre), les cadres aérodynamiques sont devenus populaires au début des années 1980 et même si, dans les faits, ils étaient démunis face aux lois de la physique, ils avaient l'aérodynamisme dans le sang.

Au début des années 1980, Colnago était déjà une marque culte et, combinée au profil aéro, a produit un résultat définitivement légendaire. L'Oval CX est soigné jusque dans les plus petits détails du dernier des boulons ; l'ensemble lié au tube de selle à lui seul est une œuvre d'art, le frein arrière est monté à l'intérieur du cadre, à l'abri du vent, le cadre est gravé ici et là, et tout est si naturel que l'Oval CX pourrait presque passer pour une sculpture. Rester bouche bée est la seule réaction appropriée.

PETIT GLOSSAIRE DU VÉLO

Bases
Tubes horizontaux reliant la boîte de pédalier aux pattes de roue arrière.

Braquet
Rapport de démultiplication entre le plateau du pédalier et le pignon de la roue et qui détermine le développement.

Cadre en diamant
Forme la plus classique de cadre où quatre tubes sont connectés pour former un trapèze central.

Campagnolo
Fabricant italien de pièces de vélos de course, féru de tradition et auquel beaucoup d'amateurs de cyclisme vouent un véritable culte.

Cassette
Bloc de pignons monté sur un moyeu à cartouche à roue libre intégrée.

Cintre
Partie du guidon où reposent les mains et sur laquelle sont fixés leviers et manettes.

Dérailleur
Système mécanique permettant de faire passer la chaîne d'un plateau ou d'un pignon à un autre pour changer le braquet en marche. On distingue le dérailleur avant (sur le plateau) du dérailleur arrière (sur la cassette de pignons) car ils fonctionnent différemment.

Développement
Distance parcourue par la roue pour un tour complet de pédalier.

Dura-Ace
Les meilleures, et les plus chères, pièces détachées du constructeur Shimano.

Freins à disque
Freins consistant en un disque de métal relié au moyeu et qui tourne avec la roue. Les étriers sont solidaires du cadre ou de la fourche et munis de plaquettes qui viennent frotter de chaque côté du disque.

Freins à rétropédalage
Freins à tambour intégrés dans des moyeux avec roue libre interne. La roue libre fonctionne de manière classique, mais lorsque l'on pédale en arrière, le frein s'enclenche au bout d'une fraction de tour.

Freins à tambour
Freins intégrés au moyeu où deux patins subissent une pression excentrique en direction de la surface de freinage à l'intérieur de l'axe du moyeu.

Freins à tirage linéaire (aussi connus sous le nom déposé « V-brakes »)
Successeurs des freins cantilever. Les bras sont plus longs et tendus vers le haut ; le câble a ainsi un effet plus direct.

Freins (Cantilever)
Freins disposant de deux leviers pivotant sur les haubans ainsi que d'un câble de liaison entre les deux bras. Le câble qui vient du levier tire le câble de liaison vers le haut, ce qui fait pivoter les bras vers le haut et vers l'intérieur : les deux patins viennent alors s'appuyer de chaque côté de la jante.

Haubans
Tubes reliant le haut du tube de selle aux pattes de la roue arrière.

Jeu de pédalier
Ensemble comprenant l'axe sur lequel viennent se fixer les pédales et les roulements. L'ensemble se visse dans le boîtier de pédalier.

Levier à serrage rapide
Mécanisme traversant l'axe et qui permet de monter ou démonter la roue par simple action sur un levier.

Manivelle
Bras de levier reliant le jeu de pédalier aux pédales.

Moyeu à vitesses intégrées
Système de changement de vitesses contenant des engrenages épicycloïdaux à l'intérieur d'un moyeu étanche.

Pédalier
Ensemble formé par les pédales, les manivelles, le jeu de pédalier et les plateaux et qui transmet l'effort de pédalage à la chaîne.

Pignon
Roue dentée solidaire de la roue arrière.

Plateau
Grand pignon denté monté sur l'axe de pédalier.

Pneus (dimensions)
Les dimensions d'un pneu mesurent son diamètre et son épaisseur. Les mesures en pouces portent sur le diamètre extérieur, alors que les mesures en millimètres se rapportent généralement au diamètre intérieur du pneu qui repose sur la jante.

Potence
Tube horizontal reliant le cintre au jeu de direction.

Raccord
Manchon creux dans lequel les tubes du cadre sont brasés.

Roue libre
Mécanisme d'encliquetage permettant d'entraîner la roue arrière lors du pédalage et la libérant lorsque le cycliste arrête de pédaler. S'oppose au pignon fixe.

Shimano
Fabricant japonais de pièces détachées, leader mondial dans sa branche.

Stoker
Sur un tandem, nom donné au cycliste situé à l'arrière. Le cycliste situé à l'avant est appelé pilote ou capitaine.

Super Record
Les meilleures et les plus chères pièces détachées du fabricant italien Campagnolo. La production, entamée en 1975 et interrompue en 1986, a repris en 2009.

Système chaîne/pignons
Système de transmission d'énergie reliant un ou plusieurs engrenages au niveau du pédalier (le ou les plateaux) à l'engrenage arrière, le pignon (on parle de cassette lorsqu'il y a plusieurs pignons de tailles différentes fixés ensemble) monté sur la roue arrière par un mécanisme à cliquet anti-retour : la roue-libre. La transmission du mouvement entre un plateau et un pignon est assurée par la chaîne.

Tringle rigide
Renfort métallique de la carcasse du pneu apportant plus de robustesse, là où une tringle souple assure plus de confort, de souplesse et de rendement.

Tubeless
Système de pneu étanche sans chambre à air que l'on trouve sur les vélos de course.

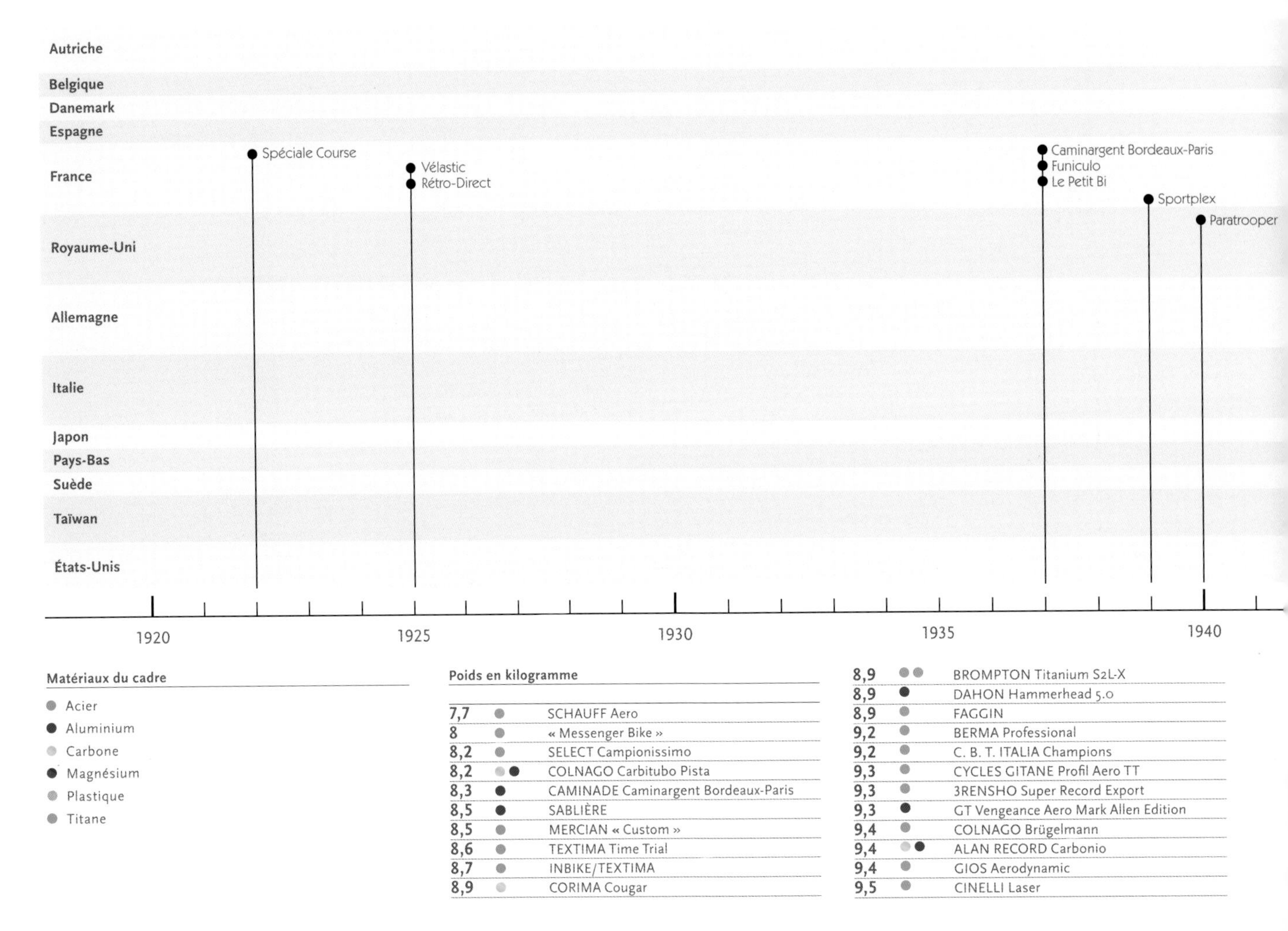

Matériaux du cadre

- Acier
- Aluminium
- Carbone
- Magnésium
- Plastique
- Titane

Poids en kilogramme

7,7	SCHAUFF Aero
8	« Messenger Bike »
8,2	SELECT Campionissimo
8,2	COLNAGO Carbitubo Pista
8,3	CAMINADE Caminargent Bordeaux-Paris
8,5	SABLIÈRE
8,5	MERCIAN « Custom »
8,6	TEXTIMA Time Trial
8,7	INBIKE/TEXTIMA
8,9	CORIMA Cougar
8,9	BROMPTON Titanium S2L-X
8,9	DAHON Hammerhead 5.0
8,9	FAGGIN
9,2	BERMA Professional
9,2	C. B. T. ITALIA Champions
9,3	CYCLES GITANE Profil Aero TT
9,3	3RENSHO Super Record Export
9,3	GT Vengeance Aero Mark Allen Edition
9,4	COLNAGO Brügelmann
9,4	ALAN RECORD Carbonio
9,4	GIOS Aerodynamic
9,5	CINELLI Laser

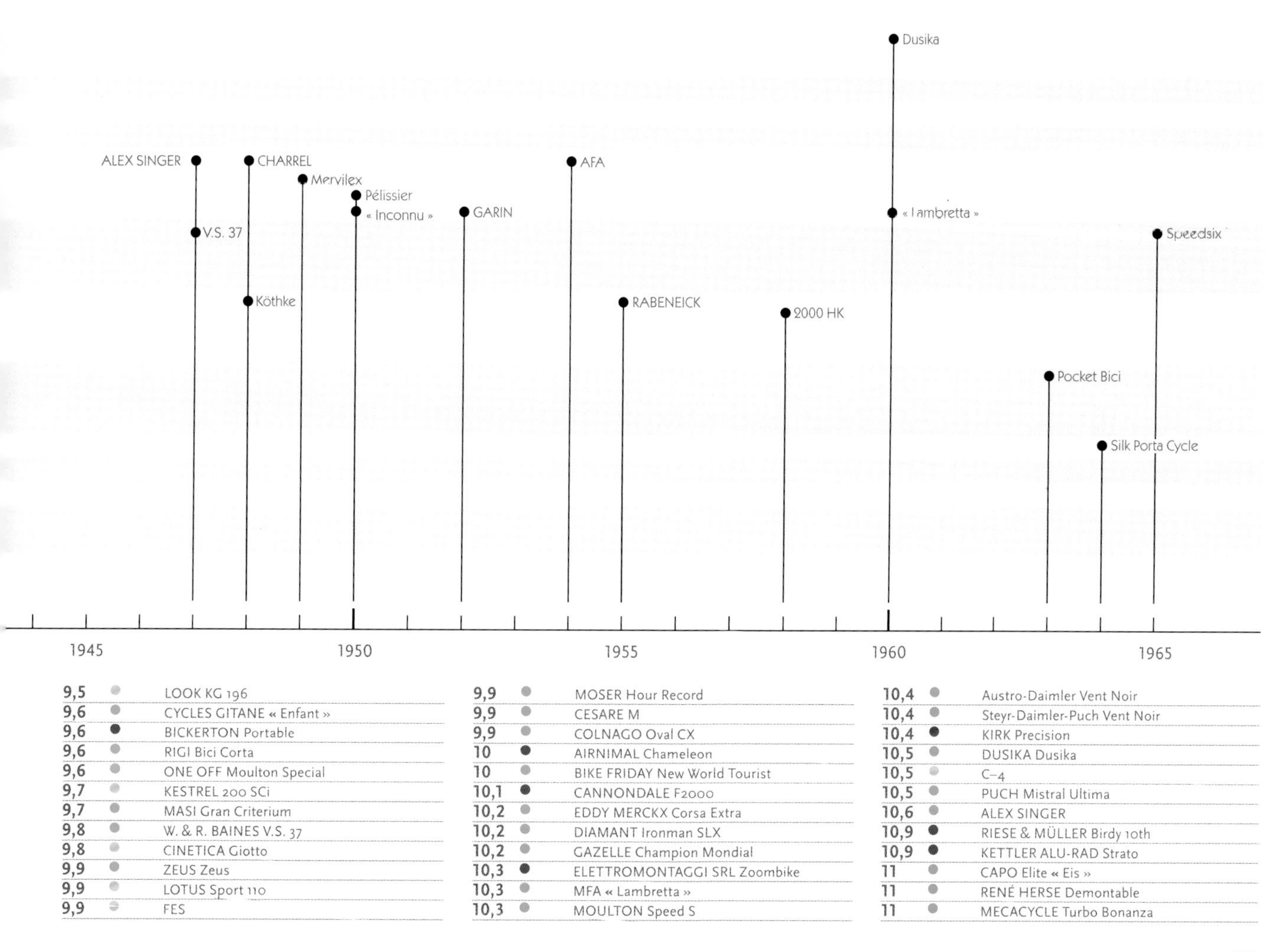

9,5	LOOK KG 196
9,6	CYCLES GITANE « Enfant »
9,6	BICKERTON Portable
9,6	RIGI Bici Corta
9,6	ONE OFF Moulton Special
9,7	KESTREL 200 SCi
9,7	MASI Gran Criterium
9,8	W. & R. BAINES V.S. 37
9,8	CINETICA Giotto
9,9	ZEUS Zeus
9,9	LOTUS Sport 110
9,9	FES

9,9	MOSER Hour Record
9,9	CESARE M
9,9	COLNAGO Oval CX
10	AIRNIMAL Chameleon
10	BIKE FRIDAY New World Tourist
10,1	CANNONDALE F2000
10,2	EDDY MERCKX Corsa Extra
10,2	DIAMANT Ironman SLX
10,2	GAZELLE Champion Mondial
10,3	ELETTROMONTAGGI SRL Zoombike
10,3	MFA « Lambretta »
10,3	MOULTON Speed S

10,4	Austro-Daimler Vent Noir
10,4	Steyr-Daimler-Puch Vent Noir
10,4	KIRK Precision
10,5	DUSIKA Dusika
10,5	C-4
10,5	PUCH Mistral Ultima
10,6	ALEX SINGER
10,9	RIESE & MÜLLER Birdy 10th
10,9	KETTLER ALU-RAD Strato
11	CAPO Elite « Eis »
11	RENÉ HERSE Demontable
11	MECACYCLE Turbo Bonanza

STATISTIQUES

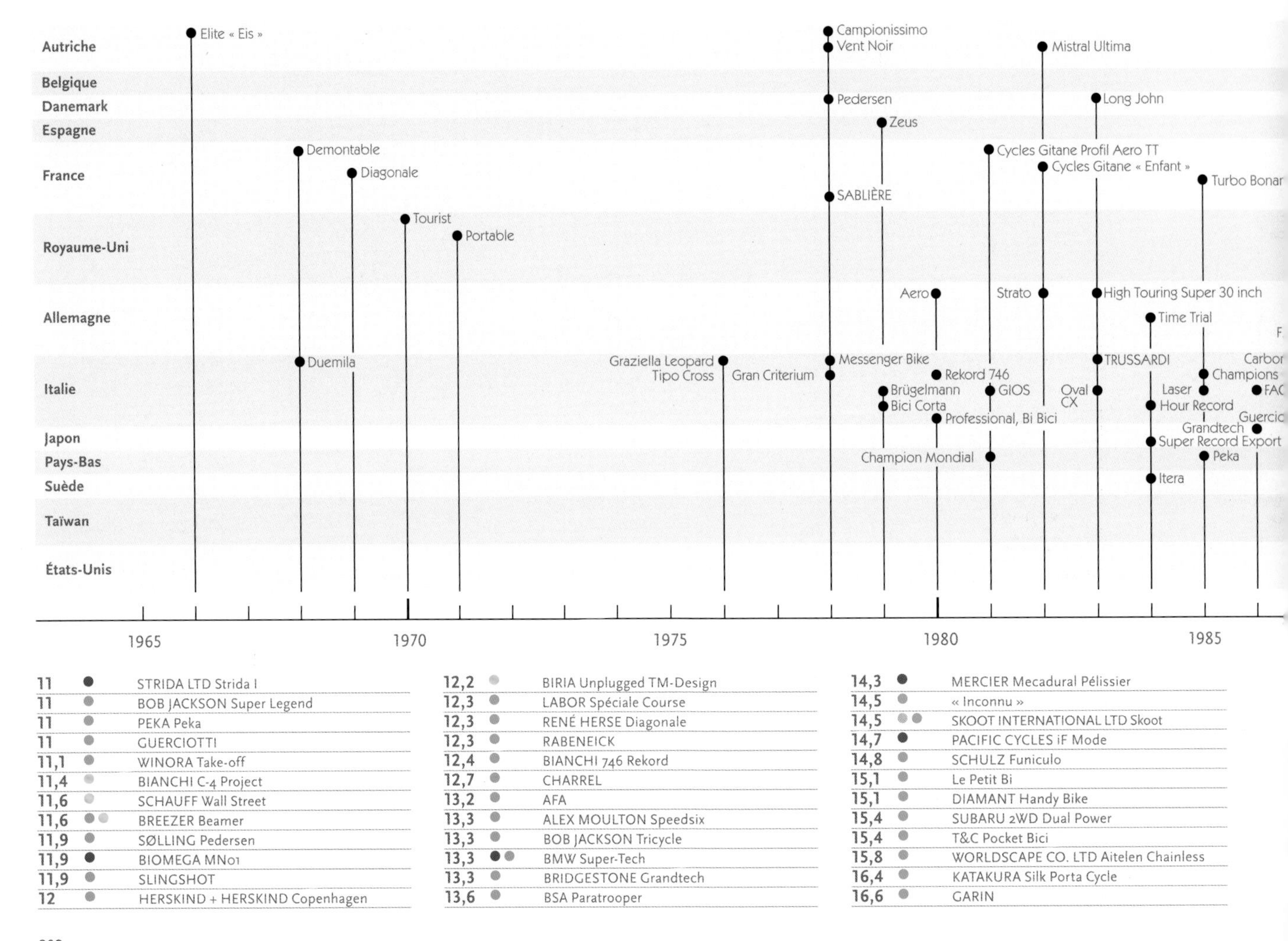

11	●	STRIDA LTD Strida I
11	●	BOB JACKSON Super Legend
11	●	PEKA Peka
11	●	GUERCIOTTI
11,1	●	WINORA Take-off
11,4	●	BIANCHI C-4 Project
11,6	●	SCHAUFF Wall Street
11,6	●●	BREEZER Beamer
11,9	●	SØLLING Pedersen
11,9	●	BIOMEGA MN01
11,9	●	SLINGSHOT
12	●	HERSKIND + HERSKIND Copenhagen
12,2	●	BIRIA Unplugged TM-Design
12,3	●	LABOR Spéciale Course
12,3	●	RENÉ HERSE Diagonale
12,3	●	RABENEICK
12,4	●	BIANCHI 746 Rekord
12,7	●	CHARREL
13,2	●	AFA
13,3	●	ALEX MOULTON Speedsix
13,3	●	BOB JACKSON Tricycle
13,3	●●	BMW Super-Tech
13,3	●	BRIDGESTONE Grandtech
13,6	●	BSA Paratrooper
14,3	●	MERCIER Mecadural Pélissier
14,5	●	« Inconnu »
14,5	●●	SKOOT INTERNATIONAL LTD Skoot
14,7	●	PACIFIC CYCLES iF Mode
14,8	●	SCHULZ Funiculo
15,1	●	Le Petit Bi
15,1	●	DIAMANT Handy Bike
15,4	●	SUBARU 2WD Dual Power
15,4	●	T&C Pocket Bici
15,8	●	WORLDSCAPE CO. LTD Aitelen Chainless
16,4	●	KATAKURA Silk Porta Cycle
16,6	●	GARIN

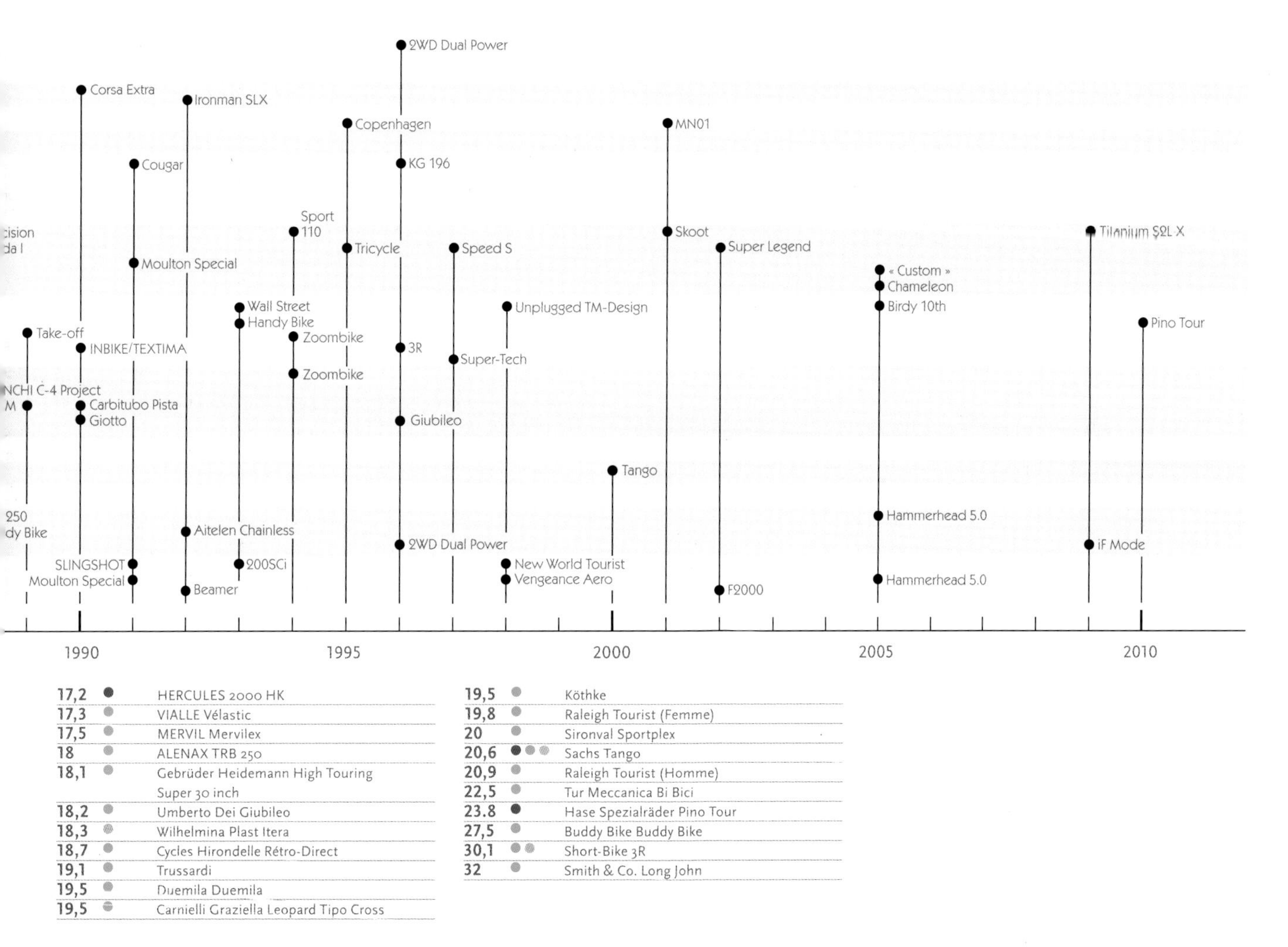

17,2	HERCULES 2000 HK
17,3	VIALLE Vélastic
17,5	MERVIL Mervilex
18	ALENAX TRB 250
18,1	Gebrüder Heidemann High Touring Super 30 inch
18,2	Umberto Dei Giubileo
18,3	Wilhelmina Plast Itera
18,7	Cycles Hirondelle Rétro-Direct
19,1	Trussardi
19,5	Duemila Duemila
19,5	Carnielli Graziella Leopard Tipo Cross
19,5	Köthke
19,8	Raleigh Tourist (Femme)
20	Sironval Sportplex
20,6	Sachs Tango
20,9	Raleigh Tourist (Homme)
22,5	Tur Meccanica Bi Bici
23.8	Hase Spezialräder Pino Tour
27,5	Buddy Bike Buddy Bike
30,1	Short-Bike 3R
32	Smith & Co. Long John

Designer et architecte, MICHAEL EMBACHER a réuni l'une des plus grandes collections de bicyclettes du monde. Il vit à Vienne, en Autriche.

Créateur de mode à la renommée internationale, PAUL SMITH est aussi un passionné de cyclisme.

L'auteur souhaite remercier de tout cœur les personnes suivantes :

YING-SHAN SCHWEIZER-EMBACHER
pour être la source d'énergie de ma vie et mon principal soutien pour que ce livre devienne une réalité.

BERNHARD ANGERER
dont les photographies font vraiment briller les vélos de mille feux.

LUCAS DIETRICH
pour être l'infatigable défenseur de ce livre.

ALEXANDER MEIXNER
pour son soutien indéfectible, sans lequel nous n'aurions pu réunir toute cette collection.

ET AUSSI
Ansgar Ammermann, Klemens Bilzer, Jürgen Borgmann, Benedikt Croy, Meinrad Fixl, Cat Glover, Roman Gold, Sandra Gugic, Franz Hager, Franz Hamedl, Sen. & Jun., Karin Hirschberger, Gerald & Jutta Levinsky, Alexander March, Stefan Meixner, Isabel Neudhart, Josef Perndl, Gerhard Pichler, Daniel Reinhartz, Herbert Ristl, Stefan Schaefter, Brigitte Schedl-Richter, Dietrich Schmidt, Walter Schmiedl, Marie-Louise Schweizer, Hanspeter Sigrist, Jakob Stalder, Rupert Steiner, Martin Strubreiter, Martin Wagner, Heinrich Walter, René Winkler, Michael Zappe, Friedrich Zaunrieth

REMERCIEMENTS PARTICULIERS À
Lieselotte, Gottfried et Vincenz Embacher

COUVERTURE
Photographies de Bernhard Angerer

PRÉPARATION DES TEXTES
Jutta Levinsky, Stefan Meixner, Marie-Louise Schweizer, Ying-Shan Schweizer- Embacher

Crédits images
© 2011, 2019 Bernhard Angerer pour toutes les photographies, sauf :
© 2011, 2019 Daniel Stier, page 7
© 2011, 2019 Andreas Müller, page 9

Éditions Eyrolles
61, boulevard Saint-Germain
75240 Paris 05
www.editions-eyrolles.com

Published by arrangement with Thames & Hudson LDT, London
Cyclepedia *© 2011, 2019 Michael Embacher*
Design © 2019 Thames & Hudson, Ltd, London
Foreword © 2011, 2019, Paul Smith
"On the fascination with bicyles" © 2011, 2019, Michael Embacher
"A Brief History of Bicyle Design" © 2011, 2019, Martin Strubeiter and Michael Zappe
This edition first published in France in 2019 by Éditions Eyrolles, Paris.
French edition © 2019 Éditions Eyrolles

Traduction autorisée de l'ouvrage en langue anglaise intitulé *Cyclepedia* de Michael Embacher (978-0-500-29397-3), publié par Thames & Hudson Ldt.

Adapté de l'anglais par Jean-Luc Lacarrière

La 1re édition de cet ouvrage est parue sous le titre *90 vélos d'exception* aux éditions Eyrolles en 2011.

ISBN : 978-2-212-67781-2

Dépôt légal : juillet 2019
Imprimé en Chine